目次

日本発酵紀行

小倉ヒラク

角川文庫
23407

はじめに

木々が葉を落とし、土や水のなかの生命が息を潜める季節、町外れの蔵からプッ……プッ……と小さな音が聴こえてくる。桶や樽のなかで微生物たちが活動を始めた音だ。川が凍りつくほどの寒さのなか、蔵で働く醸造家たちは上着を脱いで狭い室（むろ）に入っていく。室のドアを開けると、じっとり湿った蒸気と甘い栗のような香りが押し寄せてくる。室の真ん中には底の浅いプールのような長い箱があり、そこには白く靄（もや）がかかったような米が寝かされている。米についている靄は、カビだ。毒を出さず、人間に有用な成分をつくってくれるニホンコウジカビという不思議な微生物。室に充満する熱と香りは、米を食べて爆発的に増殖していくこのカビから発せられるものだ。人間たちは米粒を両腕を使ってかきまぜ、ばらし、曲芸のように米粒を底からすくって噴水のように空中に放り上げていく。このように攪拌（かくはん）することでカビが呼吸するために必要な酸素を送り込み、火傷させないように適度に放熱させていく。手入れ作業が終わると、醸造家たちはじっとカビの茂った米、麹（こうじ）を見つめる。

「とてもいい。すごく元気に育っている」

「湿度はこのままでいいかな？」
「あと数パーセントだけ乾かそう」
彼らは手を通して、鼻を通してカビたちと対話をしているのだ。室から出ると、醸造家たちは階段を上って冷たく乾いた踊り場のような場所へ移る。そこには小さなタンクが規則正しく並べられている。タンクの中では、ベージュ色のペーストから無数の小さな泡が浮き上がり、プツ……プツ……と音を立てている。このペーストは室でコウジカビをつけた麹や米を水と混ぜ合わせたもの。泡を立てているのは酵母。カビが米を食べたときに分解した糖分をエサにして大量のガスを放出する。ガスは麹ペーストに含まれるタンパク質や脂質の薄い膜に包まれて気泡となってふくらみ、爆ぜ、そのバブルの底で酒の材料となるアルコールが生成されていく。

ここは淡路島の日本酒蔵、都美人。

朝の五時、都会の住人が眠りこけている（あるいはようやく寝床につく）時間に蔵人たちの仕事が始まる。米を洗い、蒸し、室に運び、カビの手入れをし、タンクに酒の酛を仕込み……と、一日かけて微生物たちの世話をするのだ。まだ日の昇る前のしんとした空気のなか、人間たちが寡黙に作業をこなしていく。誰の声も聴こえないはずなのに、蔵のなかには不思議な賑やかさがある。目に見えない微生物たちが刻一刻とその数を増やし、麹室やタンクのなかでさざめいている。蔵人たちは目を凝らし、じっと彼らの声に耳を傾ける。目に見えない、耳にも聴こえないミクロの対話。

やがて朝焼けが蔵を照らし、学校へ向かう子どもたちの声が遠くから聴こえてくる。人間の時間が始まった。

*

僕の祖父は、佐賀の玄界灘の漁師だった。小学生の頃、東京で生まれた虚弱児の僕は、夏休みになると母方の佐賀の実家に預けられ、海で泳いだり、野山を散歩したりして身体を鍛えた。なかでも楽しみだったのは祖父の船に乗って漁に出ることだった。深夜に沖に向かって船を出し、真っ暗な海のうえで網を下ろす。灯台の明かりも見えず、三六〇度ぐるりと闇だ。心配になって祖父に尋ねた。

「おじいちゃん。こんな真っ暗ななかで怖くない？」

「大丈夫。俺には海のうえに道が見える」

祖父にとって、星や潮のざわめきは自分がいる場所を教えるGPS情報のようなものだったのだろう。高等教育を受けたことのない、人口二〇〇人の小さな漁村で育った祖父は、船に乗って朝鮮半島や沖縄、台湾へ行き、現地の言葉を知っていた。僕にはただの水のカタマリにしか見えない海からたくさんのメッセージを受け取り、明日の天気や風向きを驚くほど正確に言い当てることができた。都会っ子の僕からするとエスパーにしか見えなかった祖父は、僕が小学三年生のときに死んだ。死ぬ直前まで船に乗り続けた、海とともにあった一生だった。

それから僕は高校に進学し、思春期の男子らしくアートや音楽にハマり、夏休みは都心のギャラリーやライブハウスに行くことに夢中になり、やがて遠い世界に憧れて海外へバックパッカー旅行に出るようになった。佐賀で祖父と過ごした日々は記憶の底に沈み、僕は二〇代前半までひたすら未知の情報、新しい情報を追い求めて、気がついたら情報設計の専門家であるデザイナーになっていた。

目に見えるもの、文字に書かれたもの、誰かによって見出され、整理され、編集されたもの。そういう「情報」を集め、組み上げてポスターや箱や冊子にする。それは刺激的な仕事で、駆け出しデザイナーだった僕は朝から晩までパソコンの画面や出力されたドラフトの前にかじりついて、人間の社会をコントロールする「情報」の創造主になれることにやりがい、もっといえば優越感を覚えていたのかもしれない。他の誰よりも情報を収集し、巧みに操り、世界を動かす。そういう存在になることが優れた人間になることだと思っていた。

ところが転機が訪れる。

自分のデザイン事務所を開業し、東京を離れた地方の仕事を始めた頃に、醸造家という不思議な存在に出会ったのだ。酒や味噌や醤油の食品メーカーと言えばそれまでなのだが、彼らの働きぶりを詳細に見てみると、僕がそれまで慣れ親しんできた仕事とはかけ離れたものだった。蔵や工場のなかで日々微生物という目に見えない謎の存在に向かい合って悪戦苦闘している。人間の言葉が通じない微生物たちに己を委ねることによって、味わい深い食べ物をつくりだしていく。いや、彼らに言わせれば、つくるのは人間ではなく微生物。人間は微生物たちの働く環境をつくるサポート役であるにすぎない。人間は魚をつくりだすことができない。生み出すのは水。作物をつくることもできない。つくるのは土だ。漁師や農家、醸造家たちの仕事は直接なにかを生み出すことではなく、生み出されるものを観察し、その環境に介在し、生み出す力を人間のほうに引き込む媒介のようなもの。だからこそ彼らの感性の第一は観察すること、感じることに振り分けられる。彼らのアイデンティティは創造主になることではなく、自然の理(ことわり)を受信するアンテナになることだ。

「創造的であること」を命題としていた当時の僕にとって、人間以外の理と関わり合いながら生きる人々との出会いは未知との遭遇であり、同時にどこか懐かしいものでもあった。人間のつくった環境のなかで、朝から晩まで人間とだけコミュニケーションすることで完結する生き方はそもそも近代以降の特殊な生き方なのではないか？　僕の祖父や醸造家たちのように生きてきた人々は海や森や微生物たちと日常的に関わり、彼らの気配を感じ、人間どうしのそれとは違うコミュニケーション回路を持っていたのではないか？

独立直後に仕事を依頼してもらった山梨の老舗味噌屋、五味醤油の旦那と飲んでいたときのこと。夜十一時を回った頃に突然、

「あ、麹が呼んでる。手入れしにいかなきゃ」

と蔵に帰ってしまったことがあった。年中ニホンコウジカビと一緒にいるので、微生物たちのライフサイクルが身体にシンクロしてしまっている。曜日があり、週末があり、仕事とプライベートのオンとオフがあって……という「人間の時間」とは違う時間軸が身体に刻まれているのだ。僕もその感覚を理解したい！　と思って微生物学のイロハを学び、自宅で麹をつくりはじめた。何度も失敗を繰り返し、だんだんコツがわかってきた時期のある夜ふと、

「あ、僕は今呼ばれている……！」

という感じがあった。それはいわゆる第六感的な超能力というよりは、常に自分とは理の違う微生物の存在を強く意識し続けた結果生まれてくる、小さな気配への感覚。スポーツ選手や音楽家が感じる、ある領域の解像度が特異的に高まった状態のようなものだろう。

この感覚があったときに、子どもの頃に祖父が言った「海のうえに道が見える」という言葉がおぼろげながら理解できたように思えた。情報になる前の、世界の兆しを感じ取るちから。僕がずっと求めていたものとの出会いだった。

＊

やがて僕は東京でのデザイナーの道に見切りをつけ、様々な土地をまわって発酵文化を訪ねる日々を送るようになった[*1]。その旅のなかで、人間の理ではない感性で生きている人たちに数多く出会うことになった。何世紀も続く生業(なりわい)を継承し、人生を通してその土地の歴史や文化をごく自然に背負い、風土を呼吸しているような生きかた。僕はその生きかたがどのように生まれ、どのように次の世代へと受け継がれていくのか、もっと言えば自分のなかに流れている「人間以外の時間」の手がかりを知りたいと強く願うようになった。

この旅は、水と土と微生物が織りなす発酵という文化から、日本という土地に生きてきた人々の記憶を掘り起こす試みだ。どこもかしこもコンクリートで固められ、信仰や祭りが消え去り、通りの風景が均質化してしまったように見える世界にも、伸び縮みする時間軸、目や耳では感知できない兆しに気づく感性が生み出した景色と文化が残っている。

ただし、その隠されたレイヤー（積み重ね）を見るためには、人間の解像度ではちょっと足りない。もっともっと小さなスケールで生きる微生物たちのセンサーを借りてみよう。そうしたら見えてくるはずだ。あちこちから湧き上がってくる古（いにしえ）の記憶のざわめき、そして新しい生命の明滅が。それは僕の祖父が見ることのできた、海上の星の瞬き。暗闇に浮かぶ帰るべきホームを、同時に目指すべき目的地を照らす道標（みちしるべ）だ。

＊1　詳しくは拙著『発酵文化人類学』をご一読あれ。

この本は、僕が四七都道府県の発酵文化を訪ねた旅行記です。四七都道府県ごとに基本はひとつの発酵食品をピックアップして、製造の現場へ行ってきた記録をまとめています。

ピックアップの基準は次の三つ。

- 発酵食品の種類がかぶらないこと
- ルーツに忠実なこと
- 景色と人にフォーカスすること

酒や醤油などはどの都道府県でも製造されていますが、涙を飲んでひとつの県に限定（たとえば、酒は兵庫県、醤油は香川県を訪ねました）。また、その土地の歴史や気候風土に根ざしたものを選んでいます。ここ最近になって、たまたまとあるメーカーが製造しているようなものは個性的であっても選外とし、何代か続いて製造され、かつその土地のコミュニティに共有されているものを優先しています。そして、単なる食べ物やレシピの紹介ではなく、それを育んだ景色と人から文化的背景を掘り下げることに力点を置いています。

その結果として、この本には一度は聞いたことのある定番に加えて「何それ？」という知られざるローカル発酵食品が（地元の人ですら知らないものも）出てきます。僕が話を聞いた相手も、その街の顔役となる醸造メーカーから街場の商店、手づくり上手のお母さんまで様々な人が登場。なかでも伝統的な製法に近いものを採用して紹介しています。

素材も製法も不思議すぎるローカル発酵文化。それを掘り下げていくことで、あら不思議。その土地が辿ってきた数百年の歴史や人々のライフスタイル、自然環境のことまでアウトラインが浮かび上がってきます。文献や考古学的資料からのアプローチとは違う、発酵食品という生きたモノから辿る土地の文化の再発見をどうぞお楽しみください。

なお補足が二点。実際に訪れた四七都道府県の現場のすべてを掲載することは旅行記という本書の体裁上できませんでした。取り上げられなかった発酵食品の一覧を二一五ページにまとめているので、そちらもご一読ください。また、本文のストーリーは二〇一八年の夏の終わりから一九年初春にかけての時系列で進んでいくのですが、読みやすい構成にするために一部順番を入れ替えるなどの編集を加えています。

第一章　味覚の記憶　東海の旅

土地に根付いた味覚というものがある。他の土地の人からすると「なぜ?」と不思議に思えるような味が、そこでは老若男女に浸透している。個人による好き嫌いはあったとしても、それは「みんなが慣れ親しんでいる」という大前提に乗っかったささやかな好みでしかない。この「土地に根付いた味覚」が顕著に見られるのが東海エリアだ。

日本の発酵文化を巡る旅のスタートは、夏の終わりから。目指すは旨味調味料の仕込みの現場だ。夏から秋へと移り変わるこの時期は、暖かい環境のなかで活発に働いていた微生物がだんだんと落ち着いて、旺盛な発酵が「熟成」に切り替わるタイミングにあたる。夏のあいだに生成された様々な成分が、秋から冬にかけてゆっくりとまとまり、風味のハーモニーがデザインされていく。その切り替えフェーズに立ち会ってみたかった。

初夏から盛夏にかけて、味噌や醤油の蔵の木桶のなかは学校の教室のように賑やかだ。若い微生物たちが活発に働き、表面に盛んにあがってくる気泡のはじける音がまるでおしゃべりのよう。夏の終わり頃からそのざわめきがひそひそ声に変わり、成熟した微生物たちがどこか思慮深く振る舞っているようだ。この熟成の時期に、それまで各々勝手に主張していた味と香りが対話をはじめ、同じ方向性へと進んでいく。元気いっぱいの個が、協調を見出す社会的存在へと変わっていく。発酵は生成。熟成は調和。このふたつのプロセスを経てはじめて、深みのある美味しさがつくられる。

さて。この旨味調味料の奥深い世界。和食のベースとなる味噌や醤油などは日本全国でつくられているが、愛知・岐阜・三重の東海三県には他の地域とは明確に違う「味の好み」がある。それはどんな好みなのかというと、過剰なまでに濃厚でバリエーション豊かな旨味と表現したい。代表格は、愛知県岡崎の名物、八丁味噌だ。

*

愛知の城下町、岡崎に八帖（はっちょう）という地区がある。国道のすぐ横、典型的な都市圏の郊外に、突如あらわれる二つの大きな醸造蔵。そこだけ明らかに異質なオーラを放っている。旧東海道を挟んで隣り合う、どちらも古くから続く老舗の味噌蔵、カクキュー（一六四五年創業）とまるや（一三三七年創業）。この二軒が江戸時代から徳川家のフェイバリット調味料としてつくられている八丁味噌の文化を継承している。というか、八帖町（旧八町村）でつくっている味噌なので、八丁味噌なんだね。

いくつもの工場が連結された大きな空間に、無数の巨大な木桶が並んでいる。異様なのは、桶の上にピラミッド状に積み重ねられた石の光景。薄暗い工場のところどころから差し込む光が、何十という桶と石の建造物を照らす様は、古代の宗教遺跡を見るようだ。木桶の表面には、仕込んだ原料の種類や製造番号が割り振られ、さらに発掘現場の感が増す。次の部屋へ行くとまた同じような巨大な木桶の群れ。その次へ行っても見渡す限りのピラミッド群。さっきまで現代社会にいたはずなのに、ものの三〇分で完全に日常のスケール感を見失ってしまう。ひとりの人間の身の丈をはるかに超えた時間が、静寂のなか、ゆったり漂っている。

　このピラミッド、もちろん信仰やアートではなく、実用的な目的のために生み出されたものだ。味噌を風味よく仕上げるために、桶のなかの空気を重しで抜くように工夫さ[*1]れたもの。岡崎にはなんと今でもこのピラミッド状の石積みの技術を持った職人たちがいるという。

　八丁味噌の蔵は、どこか日本的なスケールを逸脱した独特の雰囲気がある。これはどこから来たものなのだろうか？

　この八丁味噌。一般的な味噌とは異なった製法でつくられている。日本の本州で広く普及している味噌はこの本の冒頭で説明したような、米にニホンコウジカビをつけた「米麹」をまずつくり、そこに蒸煮（じょうしゃ）した大豆と塩を合わせてペースト状に発酵させていく。対して八丁味噌は米を使わず、蒸煮した大豆をこねて握りこぶしほどの玉をつくり、

そこに直接カビをつけた「豆麹」を、塩水と混ぜてペーストにしていく。一般的な発酵の教本では「麹の種類が違います」程度の説明なのだが、この製法の違いは、かつて大陸から渡ってきた旨味調味料が日本的な発展を遂げるターニングポイントを示唆する興味深いものだ。

味噌でも醤油でも、旨味調味料のもととなるのは麹だ。この麹は古代に大陸から日本に渡ってきた文化だとされている。しかし大陸と日本だと麹をつくる微生物、カビの種類が違う。大陸のカビはクモノスカビやケカビというニホンコウジカビとは違う系統のカビで、強い酸を出して雑菌をブロックすることのできるタフな微生物だ。大陸の伝統的な麹づくりを見ると半野外のような場所でつくっている。対してニホンコウジカビは外敵をやっつけるような強い酸を出すことはできない繊細なヤツなので、日本では麹室という外環境から隔絶された密室[*2]をつくり、外敵となる雑菌をシャットアウトした状態で麹をつくるようになった。つまり「麹をつくる」というプロセスが明確に分離独立したと言える。麹を他の原料とは違う場所、違う手続きでつくる。

整理してみると、大陸のタフな麹は比較的おおらかに、成り行きでつくられる。対して日本の繊細な麹は、雑菌の混入を防ぐために独立した場所で厳密な手入れを経てつくられる。この違いを味噌に当てはめてみると、大陸の、例えば韓国のテンジャンなどは、麹づくりと味噌づくりのプロセスが限りなくシームレスにつながっている。ざっくり言えば麹がそのまま味噌になっていく。対して日本の一般的な米を使った味噌は、麹づくりと味噌づくりのプロセスが完璧に分離[*3]している。微生物の種類の違い、製法の違いは当然味わいの違いを生む。白味噌がその典型で、熟成の浅い、淡泊で雑味のない甘い風味は、しっかり守られて育った甘えん坊の日本型麹の風味の特徴をよくあらわしている。

そして八丁味噌。これはどう考えても日本よりも大陸寄りなんだ。大豆が麹になり、それがそのまま味噌になっていく。白味噌のように一〜三ヶ月で仕上げるのではなく、二年も三年もゆっくりと熟成させてコクのある、どっしりとした風味にまとめていく。八丁味噌には日本の一般的な調味料にはない味の特徴がある。それは苦味とえぐ味だ。米や麦の麹でつくる味噌は旨味や甘味、塩味の要素を押し出し、苦味はそれほど強調せず、えぐ味に至っては出てしまったらマズい代物だ。しかし八丁味噌はその苦味、えぐ味を堂々と強調し、これが岡崎の味だ！　と高らかに宣言している。つまり日本の味噌、もっと言えば、旨味調味料におけるシンギュラリティ（特異点）なんだね。

スーパーで売っている八丁味噌の多くは、赤だしといって米の味噌と混ぜて食べやすくしたもの。興味があれば、ぜひ調合していないリアル八丁味噌を探し出して味わってほしい。味噌のイメージを覆す濃厚なコク、酸味・苦味・えぐ味が織りなす重厚なハーモニーはまさに大陸由来のディープな味だ。

実は日本に伝来した最初の味噌は豆味噌ではないかと言われている。その語源は「未醤（みしょう）」と言い、未だ醤（ひしお）にならざるもの、つまり、まだ十分に熟成しきっていない豆の粒をつまんで食べるおかずのようなものだという説がある。大陸には味噌を汁に溶かして食べる文化がなかったので、最初は健康食品のようなものとして寺院などで珍重されていたのだろう。それは言い換えれば、食べやすい味ではなかったということだ（青汁的な）。それが時代が下るに従って日本的な麹づくりのプロセスが発展し、旨味や甘味などが加わり、現在の味噌文化になったのだろう。しかし八丁味噌はその進化の分岐を経ることなく、大陸的な味覚を保存するノアの方舟（はこぶね）的な存在となった。そして岡崎をはじめ東海エリアに住む老若男女の「ローカルな味覚の基準点」として今日まで存続している。つまり、この土地の人々にとっての味噌汁の原風景は八丁味噌の味。

*

数百年間変わらぬ姿で岡崎の歴史を見守り続ける二軒の醸造蔵は、保護されるべき「遺産」ではなく、日々人が働き、商品をつくり、地域経済の活力となる現在進行形の場として存在している。八丁味噌をつくり続けることは、何百年も継承されてきた味覚を受け継ぐこと。他の地域のものとは違う味を守り続けることは、岡崎のローカリティを体現し続けるということ。この二軒の味噌蔵には中世から近代に岡崎の辿った歴史が刻まれている。

一例をあげてみよう。地元では八丁味噌の伝道師として知られている、まるやの浅井社長を訪ねたときのこと。蔵の奥から古い巻物を持ってきて、

「我々は、明治より前は土地の武家に金を貸しておったのです」

と言いながら、広げた。確かにそこには「どこどこの家にいくら貸し付けをした」ということが書いてある。熟成に時間のかかる醸造蔵は商品を仕込んでから出荷してお金に換えるまでに何年もかかる。それはつまり資金をプールしなければいけないということだ。近代的な金融システムが整備される前の日本では、商品製造のために資本蓄積を

しなければいけなかった醸造蔵が、プールした資本の運用のために地域の金融サービスを担ってきた。このようなケースが岡崎に限らず全国あちこちに見られる。
この現象をさらに深く考えてみると、醸造蔵はその土地の有力者の顧客データベースを持っているということになる。一年に何度か商品のやりとりをし、さらにお金の貸し付けもする。そうすると最近どこそこの家の羽振りがいい、あるいは没落しかかっている、というようなことが帳簿からわかることになる。さっき僕は「その土地の歴史が刻まれている」と書いた。これは博物館のような方法論よりももっと生々しい、シビアな経済行為のレイヤーのなかで刻まれてきた歴史だ。もちろん金を貸す側の醸造蔵も常に安泰でいられたわけではない。中世から近代へと向かう時代の変遷のなかで、カクキューもまるやも何度も破綻の危機に直面した。しかし一軒が危機に瀕すると、もう一軒が援助するというような相互の支え合いによって二軒の味噌蔵は、江戸時代の食糧危機や明治維新、そして二〇世紀に入ってからの大きな戦争の激動を生き延びてきた。もしカクキューかまるや、どちらか一軒だけだったとしたら八丁味噌の文化は途絶えていたかもしれない。この二軒は同業のライバルであり、同時に数百年間の歴史を伴走してきたパートナーでもある。

二軒の味噌蔵の旦那と一緒に旧東海道を歩いた。

「二軒の味噌蔵のあいだのこの道は、お互いの蔵に棲みつく微生物のボーダーラインなんじゃないかと思うのです」

とまるやの旦那がポツリと言った。もしかしたら微生物たちも人間たちと同じく、お互いのテリトリーを守りながら、時には通りに出て世間話したり相談していたりして。五メートルに満たないこの通りの幅は、八丁味噌の文化と微生物たちがお互い助け合いながら棲み分けするのにちょうどいいサイズなのかもしれない。

旧東海道に並び立つ二軒の味噌蔵は、時代の大勢に抗うように味覚のローカリティを岡崎の土地に留めおいた。

歴史は常に不特定多数に好まれる方向へとリニアに進化する。そんな先入観を覆すのが八丁味噌と東海地方の特異な味覚のものさしだ。他の者が進んだ道に背を向け、他の者が嫌うものをむしろ強みとし、自分たちのアイデンティティをイデオロギーではなく、生活習慣やセンスとして確立させていく。そう、味覚は感性の領域における「民族の記憶」を保存する方舟だ。その味覚の背後に「土地の起源」がアーカイブされている。味噌汁を飲むという行為はその土地の歴史を身体に取り入れ、その土地に生きてきた先人たちとの絆を確認する行為と言えないだろうか？

＊

東海エリアの食文化は、麴のつくりだす旨味のバリエーションの極限への挑戦だ。八丁味噌をはじめとする、大豆の麴を使った豆味噌から派生したのが、「たまり」と呼ばれる液体調味料。味噌の熟成が進むうちにしみ出してくる旨味の濃縮された液体は、当初は味噌の副産物だったがやがて独立した調味料として重用されるようになっていく。三重県鈴鹿の伊勢湾沿いにある、三〇〇年超の歴史を持つ東海醸造を訪ねると、このエリアの旨味文化の醍醐味を味わえる。

「味噌の熟成が進むと、液体の部分が分離してきます。この上澄み液、現在はできあがりの味噌に混ぜてしまうことが多いのですが、うちでは独立したたまりとして売っているんですね。固形の味噌よりも液体のたまりのほうに旨味が詰まっているのですから」

と東海醸造の現当主の本地さん。細身のシャツを着こなす、シュッとした雰囲気の紳士だ。

比較的こぢんまりとした規模のこの蔵はいかにも「街場の醸造蔵」といった雰囲気。東海醸造で主に製造しているのは、八丁味噌と同じカテゴリーの豆味噌、そしてその副産物のたまりだ。

さて東海醸造の豆味噌。ディテールには愛知の岡崎とは違う地方性がある。八丁味噌では味噌の表面が酸素に触れて雑菌が混入するのを防ぐためにピラミッド状に重しの石を積み上げるが、東海醸造の場合はまばらにしか石を積まない。すると石と石の隙間、醸成中の味噌の表面に産膜酵母（さんまくこうぼ）と呼ばれる白いカビのようなモヤモヤがびっしりと生える[*4]。これは酵母の一種が呼吸して酸素を取り入れながら増殖し、巨大なコロニーをつくった状態だ。

酵母は通常酸素のない状態（嫌気状態と言う）でアルコールやガス、香気成分を生成する微生物だと思われているが、実は酸素のある状態（好気状態と言う）で動物のように呼吸して活動するのを好むものもいる。このような産膜酵母が『風の谷のナウシカ』の腐海のような微生物の海原をつくると、それが雑菌の侵入を阻むバリアのような役割を果たすのだろう。

一般的な味噌や醬油をつくるときには風味を損なうとして嫌われるこの好気呼吸を好む微生物は、東海醸造においては人間の味方になっている。深い熟成香が強調される八丁味噌と違い、東海醸造の味噌やたまりからはややフルーティでかぐわしい風味が感じられる。これは桶の表面のアプローチの違いから生まれる要素もあるだろう。このフルーティな風味は、味噌はもちろんだが、そこからしみ出すたまりに濃縮されていく。

幸運なことに、仕込み桶からたまりを放出する瞬間に立ち会うことができた。蛇口をひねると、チョロチョロと遠慮がちに出てくる、黒光りする液体。しばらくすると滝のようにほとばしり、あっという間に容器のなかが黒い海になる。その海面からは桶の表面に漂っていた発酵香が猛烈にほとばしり、強制的にお腹がグゥと鳴る。

冬の強い突風で知られる伊勢湾も、秋の入り口の風は穏やかだった。晴れた日には対岸の知多半島がくっきりと見える。長野から飛驒を通る木曾川の終着点であり、かつて湖だった名残で入り口の狭い伊勢湾には淡水の栄養がたっぷり詰まっている。そこでとれるアナゴやアワビ、カキやエビなどの伊勢の魚介には旨味調味料がよく合う。食材自体の旨味に、さらに調味料で旨味を足していく。この「旨味の足し算」は、引き算の美学の京都の味や、シンプルで濃口の関東の味とは異なる独自の美学だ。本地さんに連れて行ってもらった料亭では、アナゴのだし巻き卵を食べてみた。しっかりとった昆布だしとみりんで味付けした卵に、たまりで味付けしたアナゴを巻くという、塩味も甘味も旨味もコクもすべて主張する足し算の極みと言うべき過剰な旨味のハーモニーに、東京育ちの僕の味覚センサーは激しく混乱することになった。

お店を出て湾沿いを散歩すると、磯からも美味しそうな魚介の匂いが漂ってくる。伊勢湾は三六〇度全方位から執拗（しつよう）に味覚を刺激してくる困った場所だ。

＊

味覚には地域性があるのではないか？　全国あちこち歩き回るなかで、僕はひとつの仮説を立ててみた。日本には大別して三つの味覚のアーキタイプがある。京の貴族の味覚、江戸の商人の味覚。そして中京の武家の味覚。これはそれぞれ近畿と関東と東海の食の美意識の傾向に相当する。京の貴族の味覚は、だしを上手に使い、強い塩味や旨味に頼らない淡味淡色の美。吟味した食材を、じっくり時間をかけて調理していく。江戸の商人の味覚はその対極。軽いだしに塩味の強い濃口醤油を、手軽に調理できてさっと食べられるすしや蕎麦などのファストフードと合わせる。手間をかけた淡味の白っぽい貴族の料理に対して、手軽でファストが身上の濃味の黒っぽい江戸の料理。

そして第三の刺客が、考えうる味覚を全部盛りにして攻め込んでくる、中京の武家の味だ。これは旨味の武装兵団であり、物量で押し込んでくる、時にバイオレンスですらある独自のカテゴリーの美意識だ。コクの塊である八丁味噌が騎馬兵として突撃し、そこに続くたまりの重装歩兵が敵（誰が敵だか知らないが）をなぎ払い、さらにみりん[*5]が射撃兵として甘味の弾丸の火を吹き、白醤油[*6]が別働隊として戦場を攪乱していく。簡素であることは敗北を意味する。すべての戦力を惜しみなく投入し、完膚なきまでに味覚を征服する。この力強さ、重厚さは軽さを身上とする江戸の美意識で育った僕には衝撃だった。

「か、過剰すぎる……！　しかし一度慣れると病みつきになるのはなぜ？」

東海エリアの主都である名古屋の食といえばB級グルメが思い浮かぶが、三河や知多など愛知の地域、あるいは岐阜や三重には独自の調味料を使いこなしたナイスなレシピがたくさんある。前述のだし巻き卵のように、センスの良い料理家がつくる東海ならではの郷土料理には他の土地には絶対に真似できないリッチさがある。ここには京でも江戸でもない、かといって田舎の味でもない第三のカテゴリーの可能性が眠っている。

そしてこの味覚の特異性を守っているのが、東海エリアのあちこちで元気に操業している醸造蔵だ。日本では、高度経済成長期以降、地方の醤油や味噌メーカーは共同で大きな生産工場をつくり、一括生産したものを、各自の工場で味を調整して出荷する「組合方式」によって自社で醸造を行わないようになった（そして今では組合方式すら消滅した地域もある）。しかし東海エリアでは各蔵がそれぞれ古くからの製造設備を維持して、自社ですべての生産工程を担っている蔵が多い。味の自立性も高ければ、蔵の自立性もものすごく高い。

多様性を失いつつある調味料の世界のなかで、ありとあらゆるバリエーションの旨味が集結する、旨味の主都。現代的な味覚がどれだけ攻め込んでも落とせない、鉄壁の牙城なのだ。

＊1　重しで酸素を抜き「嫌気状態」とすることで、臭い風味を出す雑菌が好気呼吸を行えないようにする。
＊2　麹菌を隔離し、育成に最適な温度・湿度調整をできるようにした部屋。多くは杉製で換気のできる天窓がある。
＊3　一般的な味噌に比べて熟成期間が短く、麹の量がとても多く、塩が少ない。京都の西京味噌のようにお菓子に使うほど甘いものも。
＊4　産膜酵母は好気性、耐塩性があるため、空気と触れる表面に発生する。
＊5　ざっくり言えば、水の代わりに焼酎で仕込む甘酒。糖類やアルコールを添加したみりん風調味料は、みりんとはまったく別物。
＊6　愛知県を中心に生産。小麦主体でつくられる、軽くて淡色の醤油。

Column 1

発酵技術のバリエーションと活用法

この本を楽しく読んでもらうために、知っているようで実はよく知らない「発酵」の解説をしておきます。

人間に役立つ微生物の働き

塩をふった煮大豆とお味噌。毎日食べたいのはどちら？　答えはもちろんお味噌！　でも、どちらも原料は一緒。何が違うのかというと「微生物が働いているかどうか」。大豆に麹菌や乳酸菌、酵母などの発酵菌たちがくっついて大豆のタンパク質やデンプンなどを分解していくことで、お味噌特有の旨味や酸味や香りなどが生まれます。逆に、人間に有害な菌がくっついてしまうと、大豆の栄養分を悪い物質に分解。大豆は悪臭を放ち、間違って食べたらお腹を壊してしまうように。これが発酵の反対、「腐敗」です。

発酵も腐敗も微生物の働きという意味では一緒。人間に役立つ微生物たちが働いたら

「発酵」、有害な微生物たちが働いたら「腐敗」になるわけです。

麹は日本独特の発酵文化

和食独特の旨味や甘酸っぱさのもとになるユニークなカビ、麹菌。稲に好んで棲み着く、この毒のなく人懐っこいカビは、日本の水田文化と相性が良かったのか、日本の発酵のベースとなる大事な微生物として重宝されてきました。

このカビの特徴は次の三つ。

・特徴的な旨味をつくってくれる
・穏やかでまろやかな甘味をつくってくれる
・他の発酵菌を呼び寄せる媒介となる

三つ目を補足すると、麹菌がつくりだす栄養素は人間はもちろん、他の発酵菌にも美味しい食べ物になります。麹菌が発酵させた後の食材は、乳酸菌や酵母、酢酸菌などが棲みやすい環境になり、発酵のバトンリレーが起こります。この結果、シンプルな原料から複雑な味わいが生まれるんですね。

なお、「麹菌」とは発酵作用を引き起こすニホンコウジカビのことを、「麹」とは穀物に麹菌がくっついてモコモコ発酵した食材のことを指します。

調味料・漬物・酒

次に、日本における発酵によってつくられる代表的な食品を紹介します。

【調味料】 毎日の食卓に欠かせないのが調味料。麹をスターターとして、大豆や米などを発酵させます。麹と穀物を混ぜて、固形で発酵させるのが味噌、液体で発酵させるのが醤油。お酒に酢酸菌という菌をつけて酸っぱくさせたものが酢。水のかわりに焼酎で仕込む甘酒がみりん。魚を塩漬けにしてドロドロに溶けるまで発酵させた魚醤のようなものもあります。

【漬物】 食材を漬け床に仕込んで熟成させる、保存食の王道が漬物。床の種類は塩を筆頭に、麹や酒粕（さけかす）などが定番です。紫蘇（しそ）とナスでつくる京都のしば漬けが塩漬けの、麹と米と塩を混ぜてまろやかな漬物をつくる三五八（さごはち）が麹漬けの、季節の野菜を酒粕に何年も漬け込む奈良漬けが酒粕漬けの代表例。野菜ではなく魚介を塩漬けにしたものが富山の黒作りや大分のうるかなどの塩辛、サバやフナなどの魚を米と一緒に漬け込んだものがなれずしです。

【酒】酵母が糖分を食べてつくったアルコールを閉じ込めた液体がお酒。世界各地に様々なお酒がありますが、すべて発酵食品です。シンプルなものだと、ブドウの糖分からつくるワイン。日本酒はちょっと複雑で、まずお米のデンプンを麴菌によって糖分に変え、次に酵母に糖分を食べさせてアルコールに変えるというバトンリレー方式でつくるお酒です。ワインを蒸留するとブランデー、日本酒を蒸留すると焼酎になります。

この本に出てくる発酵食品のほとんどがこの三つのどれかに分類されます。発酵菌たちの働きを意識しながら本を読み進めてみてください。

第二章　現代空間のエアポケット　近畿の旅

秋の入り口。夏の気配が去りゆくこの季節は不思議な雰囲気が漂っている。コンサートでオーケストラがチューニングする瞬間、バラバラで無秩序な音素が徐々に一点に集まっていくかのような、虚脱感と緊張感が入り混じった空気。この九月から十月にかけての時期を、古代中国では「酉（とり）」の季節と呼んだ。西（酉）方から渡り鳥が飛来する時期であり、同時に穀物が実る収穫の時期。そして収穫した穀物を仕込んで醸す（かもす）季節だ。夏の成長が終わりを告げ、実りを刈り取る時期であり、生命が絶える冬に備えはじめる時期でもある。

古代中国に生きる人々は、渡り鳥を里帰りしてくる祖先の霊と見立てた。祖先が帰ってくる頃に収穫する穀物を仕込む壺の象形が「酉」の文字の起源であり、「酉」の壺に液体を満たしたものを「酒」、固形物を刻んで詰めたものを「醤」といった。壺のなかで仕込んだ食材がふつふつと泡立ち沸き上がっていくさまを「醸」といい、それは同時に「酉」のカタチの棺（ひつぎ）のなかに葬った死者の白装束に詰めた呪具によって死者の胸が盛り上がるさまを意味していたという[*1]。魂は死んだ肉体を抜け出し、鳥となって西へと飛び立ち、そしてまた穀物＝生命が実る頃に東へと帰ってくる。「酉」は生命の再生のスイッチが入る季節、つまり生と死の境目にある、あわいの季節だ。

東海から西へと向かう旅のあいだ、僕はひどい熱と悪寒に苦しんでいた。身体を起こすだけで目眩と頭痛、歩くだけで冷や汗がだらだら流れるような状態で、僕は旅を続けた。事前に仕込みの時期を調べてスケジュールを組んでいたので、自分の体調を理由にタイミングを逃すことはできない。微生物は人間の都合を考慮してはくれないんだね。

近畿地方の発酵の旅。まず向かったのは和歌山県湯浅（ゆあさ）。熊野古道の宿場町として栄え、醸造文化とも深い縁（ゆかり）を持った古い街道町だ。大阪からJR紀勢本線に乗り換えて南へ。昭和から時間が止まったままのローカル駅を出て湯浅の旧市街へ向かうと、今度はさらに中世から時間が止まったままの通りに出る。狭い石畳の通りの脇に、古い町家づくりの建物が立ち並び、ところどころに寺の山門がぽっかり開いている。遠くからかすかに香る湯浅湾の潮風の霞（かすみ）が、雨上がりの街路にたなびき、タバコ屋や和菓子屋の前を学校帰りの子どもたちが黄色い傘を振り回しながら駆けていく。土門拳（どもんけん）の写真のような世界の一角に、金山寺（きんざんじ）味噌の老舗、太田久助吟製の蔵がある。のれんをくぐり、薄暗い無人の土間で、僕は「ごめんください」と熱で震える声をしぼりだした。

各地の発酵文化を追い求めて旅をしていると、突然時空のエアポケットに入ってしまうことがある。郊外のロードサイドから一歩路地に入ると、白い漆喰（しっくい）と黒ずんだ杉の壁で囲まれた一角に突如迷い込む。軒を連ねるのは、建具屋（たてぐや）、氷屋、和菓子屋や呉服屋など、インターネットで何でも自宅に届けられる二一世紀の世界とはギャップのある古風な商家の数々。そんな異空間の代表格が、醸造蔵だ。

歴史の古い町並みを散歩していると、神社のある岬のたもとや、河川の合流地点、旧街道の要所など「ここは素敵だなあ」と思う風通しの良い場所には必ずと言っていいほど醸造蔵がある。仕込みに使う清水が湧き出て、腐敗をもたらす空気の淀みがなく、できあがった商品をすぐに船や荷車で運び出すことのできる交通至便なロケーションにあるのが、その土地の顔役となる醸造メーカーだ。岡崎における八丁味噌二軒のケースを見てもわかるとおり、かつて醸造業はその土地の経済の基盤となる産業だった。したがってその当時の一等地に敷地をつくり、一〇〇年二〇〇年とその土地の顔となり、やがて町の記憶を保存する場所となる。

しかも、醸造蔵は簡単には引っ越せないし、蔵を建て替えることもできない。商品の個性をつくりだす微生物の生態系[*2]が変わってしまう恐れがあるからだ。だから古い建物を少しずつ直し、建て増しをしていく。結果、様々な時代の建築様式が蓄積されることになる。物置きには製造がオートメーションされる以前の道具が遺され、商品の製造・出荷管理や納税用につけた帳簿が当時の産業や暮らしを伝える貴重な文献になる。そういう意味で醸造蔵は「生きたミュージアム」であり、現代の感覚ではありえないほど長い時間が蓄積し、伸び縮みする特異な場所。コンクリートの下に隠されたレイヤーが姿をあらわす瞬間だ。

湯浅の太田久助吟製もまたそんな異空間の典型。入り口をくぐった瞬間に空気の流れが明らかに違う。しんと静まり返った暗い土間の向こうに、穀物を蒸す香ばしい湯気が立ち上っているのが見える。

「これから麹をつくるところなんだ。おあがりなさい」

奥の工場から呼ぶ声がする。土間を抜けると日の差し込む半野外の中庭のような場所で黒いニット帽をかぶったTシャツ姿の老夫婦が忙しく仕込み作業をしていた。蒸しあがったばかりの材料を麹室に運び込み、黙々と湯気の立つ穀物のカタマリを手でばらし、細かい粒に砕いていく。ある程度温度が下がったので、これから麹の種つけ*3をするのだという。

「麹の材料はなんですか？」

「うちは米と麦と大豆を全部混ぜて麹にするんだ」

なんと！　普通、味噌は米、麦、大豆のどれか一種を原料に麹をつくる。ブレンドすることがあるとしても二種類まで（ちなみに醤油は大豆と麦の二種混合）。三種全部混ぜる麹ははじめて見た。

そもそも金山寺味噌とは何なのだろうか。三種混合麹を漬け床にして、塩漬けしておいた丸ナスやウリ、生姜（しょうが）などの夏野菜を樽に仕込み、シソなどを薬味として加え三～四ヶ月発酵させて味噌にしていく。と書いてみたが、これはよく考えると「味噌と漬物の中間」のようなもの。より正確に言えば「漬け床ごと食べる麹の野菜漬け」と言えばいいだろうか。「味噌」と名がついているものの、既存のカテゴリーでは分類不可能な金山寺味噌。ルーツは何ですか？　と旦那さんに聞いてみると、

「もとは八〇〇年ほど前に中国で修行したお坊さん・法燈国師（ほうとうこくし）が日本に持ち込んだ発酵食品と言われている。中国の醤の一種、醤菜（ジャンサイ）と呼ばれるものの名残なんでしょうなあ」

とのこと。なるほど、これは味噌というよりは大陸的な醤の系譜なのだ。調味料／おかずという二項対立に分岐する前の、発酵の旨味が溜まった食べ物＝醤として、ここ湯浅の地でご飯のおともに重宝されてきたんだね。岡崎の八丁味噌では「麹と味噌の不分離」という大陸文化の名残を見たが、金山寺味噌では「味噌（調味料）と漬物（食材）の不分離」というアーキタイプに出会った。

生物進化の歴史は、木が一本の幹から無数の枝へと分岐していく「系統樹モデル」を使ってあらわされる。人間の枝を幹に向かってたどっていくと、猿からネズミ（哺乳類）、そしてトカゲのような爬虫類、さらに水に棲んでいた魚類の祖先へと遡（さかのぼ）っていく。

この過程のなかで呼吸器官や背骨、体温維持装置などが人類にインストールされていった。しかし無数の分岐ポイントにおいて、人類とは違う進化、水中に留まり続けたもの、冬眠によってサバイブするもの、空での生活を選んだものたちが存在しているわけだ。

「えっ、いったい何の話をしているんだ？」

もちろん発酵文化の話に決まっている。金山寺味噌とは、日本における醸造文化の最初期の分岐点のひとつだと言える。右に枝分かれすると味噌＝旨味調味料、左に枝分かれすると旨味を活かした漬物になる。そして味噌の道を進めば麹のバリエーションによる分岐があり、さらにその先に八丁味噌からその副産物のたまりのような固形から液体の分岐もある。

カエルが水中生物であると同時に陸上の生物でもあるように、サケが淡水の生物であると同時に海水の生物でもあるように、進化の分岐点を留めた存在は、分かれたはずのものが不分離になっている。そこには未来にありえる可能性の萌芽が詰まっている。多様な枝に多様な実りをもたらした日本の醸造文化の進化史の幹にあたるのが、金山寺味噌。大陸から伝来した文化の変容の歴史をイメージしながら食べる金山寺味噌かけご飯は、甘く旨くほろ苦くて、実に味わい深い。

＊

ざっざっざっ。蒸し上がった穀物を指でバラす音。
ざあざあざあ。野菜や容器を洗う水の音。
ごーん。路地裏から響く寺の鐘の音。
蔵の小窓から差し込む光線のなかで、微生物たちが躍っている。

醸造蔵は時空が伸び縮みする異空間。そして醸造現場のなかで聞くエピソードもまた時空を歪めるスケール感を持っていたりする。街場の小さな工場で金山寺味噌をつくるお父さんから八〇〇年前の大陸と日本をつなぐ東アジア規模のエピソードがごく自然に語られる。そして目には見えないが蔵のなかにみちみちている微生物たちの大半は、人類が生まれる前、もっと言えば哺乳類が生まれるはるか昔に生まれた、恐ろしいほど長いタイムスケールで存在しているのだ。

熱で朦朧としているなかでこういう時空のエアポケットに入ってしまうと、まるで今が八〇〇年前であるかのような、自分が何百年も生きては死んで……を無数に繰り返してきた微生物になったような感覚になってくる。一瞬と同時に永遠を生きているような、奇妙な感覚。

蔵を出ると、すっかり日が暮れていた。とにかく駅に向かわなくては……と思いはしても、もと来た道が思い出せない。やがて旧市街の通りから熊野古道に迷い込んでしまったようだ。誰もいない暗い路地にぽつりぽつりと灯りが見える。その道の先に進んでたどり着くのは、この世とあの世のあわいの世界。生きている者と死んでいる者、夢と現実の境界が溶け出すような、数百年の土地の歴史とほんの一瞬の微生物の生命の時間が重なり合うような不可思議な道を僕は歩いていた。さっきまでいたあの蔵は、優しく微笑んでいた夫婦は本当は存在しないのではないのか？　つげ義春の漫画のような、妙に生々しいくせにどこまでも現実感のない夢幻の世界に迷い込むには、この現代においても路地を一本裏に入るだけでよかったりする。

西から秋の夜風が吹いてくる。歩くほどに足を踏み出す身体の重みが消え失せ、街の灯りが遠くなっていく。消えゆく夕日の際を沿うように鳥の影が空を切り裂き、裂けた腹から夜の闇のはらわたがドロリと流れ出した。

＊

なんとか大阪駅までたどり着いたものの、熱がひどい。しかも、食欲がなくて数日間ほとんど食事を摂っていなかったのが災いして胃が耐えられないほど痛くなってきた。京都方面に乗り換えようとしたときに猛烈な吐き気がこみ上げてきて、トイレで胃液を戻してしまった。何かを食べないと倒れる、しかしまったく食欲がない。もうダメだ、人生詰んだ……！　と思って顔を上げると、そこにあったのはなんとお茶漬けスタンド。これぞ神の思し召し。ひどく胃が弱った苦境にお茶漬けという完璧な救済！　温かいスープから、優しく食欲をそそるお漬物の香り。こうして行き倒れ寸前の僕を救ってくれたのが、魅惑の赤いしば漬けだった。いただきます……！

翌朝。ぐっすり眠ったら、なんとか胃痛が治まっていた。微熱は残っていたが旅は続けられそうだ。向かうは京都市中心部から北に一〇㎞ほど山を登ったところにある大原地区。小一時間ほどバスに揺られてたどり着いたのは、開けた谷間の土地だ。建物と人がごちゃごちゃと密集する京都市内と比べると違う惑星のようにスコーン！　と野原が広がり、山裾から爽やかな風が吹き抜けていく。バス停からしばらく歩くと小さな工場があらわれる。大原の伝統の味を継承する「辻しば漬本舗」だ。

関西に限らず東京でもスーパーで普通に見かけるしば漬け。これは実は高度経済成長期以降に大手加工食品メーカーが開発した大量生産品で、オリジナルのしば漬けとは異なる製法のものだ。辻しば漬本舗の旦那さんいわく、

「昔からつくられてきたしば漬けの製法はシンプルです。うちの標準のレシピでは赤紫蘇とナスしか使いません」

とのこと。普及する大量生産品に入っている調味料や着色料などは使わず、京都の他のメーカーでよく見るキュウリやミョウガなども使わず、生の赤紫蘇とナスを五％弱の塩で漬け、重しをして夏の暑さとともに発酵させる。すると塩の浸透圧でにじみ出てきた野菜の水気とともに野生の乳酸菌や酵母が活動を始め、かぐわしい香りを放ちながらぶくぶくと発酵していく。辻しば漬本舗の超シンプルしば漬けのポイントをあげるとだな。

・塩分が少なく、主に乳酸発酵による低pH値によって防腐機能を持たせている[*4]
・熟成期間が長い（半年〜一年ほど）
・風通しが良い大原の気候を活かした食材

山を挟んで隣の貴船のような川裾の湿気の多い地区よりも、大原のような開けた風通しの良い場所のほうが赤紫蘇の栽培に適している。この鮮やかな緋色の赤紫蘇を、塩分少なめかつじっくりと発酵させることにより、比較的味がアッサリして上品、かつ赤紫蘇のピンク色が鮮やかな雅(みやび)な漬物ができあがる。特筆すべきはその香り。フレッシュでフローラルな匂いが赤紫蘇から立ち上ってくる。激しく食欲をそそりつつエレガント。僕のこれまで食べていたしば漬けは何だったのか……。

しば漬けの起源は、平安時代後期、つまり八〇〇年近く前まで遡る。高貴な赤紫色と品の良い風味が貴族に好まれたのか、この山間のローカル漬物は、平家の末裔(まつえい)や皇族との関係が深い、由緒正しい物産品となった。中世には大原の山を下って京都市内にしば漬け売りが行商に出かけていたそうだ。工場を訪ねたあと、近所の紫蘇畑をのんびり散歩した。さらさらと流れる山風が微笑むように僕のほてった頬を冷やしていった。

*

「えっ？　ほんとにここにローカルな食文化があるの？」

大阪に幻の漬物がある。ゴボウのように細長い大根をぐるぐる巻きにして酒粕に漬ける「守口(もりぐち)漬け」というらしい。そんな噂を聞きつけて、守口市という大阪市のすぐ隣の街に降り立った。見渡す限りビルとコンクリートだらけの、この典型的な郊外のニュータウンのどこで大根を育てているのだろうか？　中世は淀川沿いの小さな寒村だったらしい。そこで伝わる伝承はこんなものだ。

ある日、豊臣秀吉公が当時の守口村を通りかかって一服したときに、村人に何かお茶請けを持ってくるように命じると、「こんなものでよければ……」と村人が差し出したのがその大根の漬物。素朴な風味に感心した秀吉公が、「これは美味しい漬物じゃ。これを守口漬けと名付けよう」と告げてから、村の名物になったとさ……。

というのが守口漬けの誕生ストーリー。

そして時代は下り、寒村だった守口市は戦後の高度経済成長とともに急速な近代化を遂げ、田畑のほとんどないニュータウンへと姿を変え、守口漬けも忘れられていった。

ところが！　守口漬けのレシピ自体はなぜか愛知や岐阜に渡り、東海地方の郷土料理に姿を変え、大阪から離れた場所でひっそりとサバイブしていたんだね。そして二一世紀に入り、守口市の地域振興課や農協、お母さんたちが「なにわの伝統野菜」として守口漬けの原料である細長い守口大根に注目。その種を復活させる活動を始めたのがここ最近のことらしい……という風の便り程度の情報をもとに、僕は守口漬けをゲットするための調査を開始した（アポなしで）。

Googleマップを見ながら、淀川沿いの空き地がありそうな地区へ行き、そこの公民館にいたお母さんたちに「守口大根っていう細長い大根探しているんだけど……」と尋ねてたどり着いたのが近所の農協。なんと地元の農家さんが駐車場に手づくりのプランターを置いて、そこで守口大根をつくっていたんだよ。僕の背丈より高いプランターで育てる、最長二mほどにもなるというひょろ長い守口大根。種を復活させるプロジェクトのご意見番である農家のお父さんいわく、

「辛くて苦くて正直生では食べられん」

とのこと。つまり……あんまり、美味しくない！

「なるほど。だから漬物にする必要があったわけなんですね！　漬物は試してみました？」

「いやそれが東海地方のレシピ教えてもらったんだけど、難しくてなかなか成功しないんだよ」

その東海地方のレシピなのだが、ざっくり言えばほぼ奈良漬け。漬け床を何度も換えながら二年以上熟成させる高級漬物のつくりかた*5で、素人が再現するのはなかなか難しい……と考えていたところで疑念がわいてきた。

「たいして美味しくない野菜に、高級漬物の手間をかける必然性はあるのか？」

身もフタもないことを言ってしまうようだが、守口大根は河川敷の痩せた土で「ま、採れないよりはマシか」と育てていた作物だ。だから漬物にするときも、高級食材にするようなモチベーションではなかったはず。きっと東海地方のレシピは名古屋や岐阜の裕福な旦那衆がアレンジしたものに違いない。そう思っていると、大阪の友人から「川向こうの摂津富田(せっつとんだ)に似たような漬物があるらしい」と情報提供を受けて、摂津富田の老舗、清鶴酒造を訪ねてみたら、あったんだよ。どう考えても守口漬けの原型としか思えないローカル漬物が。

それは酒蔵の片隅でひっそり仕込まれていた「富田漬け」というウリの酒粕漬け。熟成させた酒粕に塩を加えて踏み固めた床に、原料のウリを入れて一〜二ヶ月ほど熟成させておしまい。奈良漬けのように漬け床を換えないで、一回漬けのみのシンプルレシピ。昔から摂津富田一帯で手づくりされてきた素朴なお漬物のようだ。その漬物をつくっている清鶴酒造の若旦那いわく、

「昔からこのあたりは酒蔵が多くて、冬から春にかけて大量の酒粕が出る。だからそれを使って漬物をつくる文化が発展していったんですね」

原料となるのは服部(はっとり)という地区でとれるシロウリ。「どんな味ですか?」と聞いてみ

たら、

「固くて苦くて生では食べられない」

ってあれ？　なんか聞いたことある話ではないか？　続けてその漬物の起源のことを尋ねてみてビックリ。

ある日、徳川家康公が摂津富田を通りかかって一服したときに、村人に何かお茶請けを持ってくるように命じると、村人が差し出したのがこのシロウリの漬物。素朴な風味に感心した家康公が「これは美味しい漬物じゃ。富田漬けと名付けよう」と告げてから、村の名物になったとさ……。

というのが富田漬けの誕生ストーリーだそうな。

必ずしも美味しいわけではない在来の作物をなんとか食べられるように加工する。そしてそれが天下の大名に見初められて郷土名物になる。これが大阪のローカル漬物のテンプレート！

京都人と大阪人。人柄にはその土地の「らしさ」が出るというのはよく知られた話だが、どうも漬物にも同じような個性の違いがあるらしい。京都の漬物は中世以前から続く由緒正しい、品のある文化。大阪は庶民の素朴なプロダクトが発展して郷土名物になるしたたかな文化。さらにここに大陸由来の金山寺味噌、平安時代以前から鎮座する大御所の奈良漬けを加えて四方を囲むと、近畿の漬物アナザーワールドの結界がその姿をあらわす。

この結界は、なかに入ったどんな食べ物も美味しくしてしまう「漬物魔法陣」なのだね。

＊1　漢字の起源については、漢文・東洋学者である白川静先生の著作などを参考に。「発酵古代漢字」の世界、もっと極めたい。

＊2　ある環境下において様々な微生物たちが社会をつくっている。生物学では「マイクロバイオーム」という。気候や場所の特性ごとに微生物の生態系が違う。

＊3　発酵のスターターとなるカビの胞子を材料に振りかける作業。日本酒の職人が缶を持って粉をふっている映像、見たことありません？

＊4　食材のpH値を酸性に傾けることで、雑菌をブロックできる。

＊5　まろやかな味わいを出すために、種類の違う漬け床に何度も移し替える。手間がかかるので値段も高い！

Column 2
海・山・街・島の発酵文化

全国の発酵文化を訪ね歩くなかで、加工技術の方法論とは別に、土地の属性から発酵のカテゴリーを体系化できるのではないか……？　ということに思い当たりました。僕が提案してみたいのは「海・山・街・島」の四つの分類です。

海の発酵　旬を逃さず旨味を極める

海の発酵は時間のコントロール術。

ほんの一瞬の漁期に大量にとれる海の幸を有効利用するための加工技術が様々に進化しました。酢で漬ければ新鮮さを損なわずに日持ちし、塩で漬ければ旨味が滲み出して長期保存できる。麴や米を合わせれば、すし文化の源流となるなれずしに、小さな魚介をまるごと塩の海に沈めれば調味料の源流となる魚醬に。日本の発酵の屋台骨を支えるのが、水辺で発達した加工文化なのです。

山の発酵　土に根ざした工夫の宝庫

東西南北、熱帯から厳寒の北国まで。

気候風土が生み出す発酵文化のバリエーションは山の中にあります。主役になるのはその土地ならではの作物。海辺と違って塩をふんだんに使えないので、植物の抗菌効果や酒粕のアルコール分、乳酸菌の酸味などをフル活用して保存技術を追求してきました。土壌の違いが作物の違いを生み、作物の違いが発酵技術の違いを生んだ。その個性は山のなかでしたたかに生き延びています。

街の発酵　地の利を活かして価値を醸す

発酵は文化だけでなく経済もつくる。

都市部で発達した大規模な醸造業は、中世から近代にかけての日本の経済の鍵を握ってきました。北前船（きたまえぶね）をはじめとする廻船航路を駆使し、原料と商品を大規模に動かすことで資本が蓄積していきます。中世の海運の要所だった土地では、酒や調味料などの発酵文化が花開きました。保存がきいて遠くへ運ぶことができ、しかも付加価値の高い醸造プロダクトは日本の経済の屋台骨だったんです。

島の発酵　閉鎖環境で生まれる多様性

島の発酵は、日本人のサバイバルの知恵の結晶。

外界から隔絶され、豊かな水源もなく稲作も難しい。そんな極限状態でもなんとか生きていくために、島の人々は奇想天外な発酵文化を生み出しました。芋が冬に腐るのを防ぐために微生物の力を使ってデンプンを取り出した〝せん〟、江戸時代から発酵させ続ける強烈な香りの〝くさや〟など、現代の科学をもってしても謎の多い、離島はガラパゴス発酵の宝庫なんですね。

第三章　魚と酢の通り道　瀬戸内の旅

透きとおった日差しが瀬戸内海に反射してキラキラと光っている。秋の広島、尾道。坂の上の高台から見下ろすと、海際にへばりつくように街が形成されているのがわかる。まるで河川口のように狭い入江の地形が津波や水害を防いだのだろう。荒々しい外海と人里のあいだのクッションになる入江は、人間を海に近づける地形だ。尾道はそんな地の利を活かした、海沿いに倉庫や工場が立ち並ぶ「海の商人」の街としての歴史を歩んできた。江戸時代には北前船の寄港地として中国地方随一の海の要所として栄えた尾道。僕が目をつけたのは酢の醸造の歴史だ。

日本地図を出して中国・四国地方の地形を確認してほしい。山口から岡山にかけて、「本州の尻尾」とでも呼びたいぐらい横に平べったい中国地方。北は日本海、南は瀬戸内海に挟まれている。そして瀬戸内海のすぐ向こうには四方を海で囲まれた香川や愛媛。内陸の大半は山がち。つまり平地が少なく海に近いということは、稲作農耕文化とは違う、海の文化圏が広がっているということだ。

なだらかで開けた近畿とは対極の、海と山で入り組んだ起伏だらけの瀬戸内エリアの発酵文化のキーポイントは、ずばり「魚と酢」。旬の時期に海（川）でとれる魚を酢で〆て日持ちをよくする。しかし近畿や北陸のように大量の塩に漬けて、なれずしや塩辛のようにして超長期保存する文化はそこまで強くない。山間地でも海のすぐ近くなので、北陸～京都間のように長い陸路で魚を運ぶこともないし、一年の半分が霜と雪で覆われて農閑期になるほどの気候でもない。

　とりわけ温暖な瀬戸内海に面した土地は一年を通して魚と近い場所。だから生魚本来のフレッシュさをキープしつつ、適度に保存性をもたせた酢漬けの文化[1]が発達したんだね。瀬戸内海の魚食文化を育んだ発酵調味料、酢。近世までその生産を支えていたのが、「海運都市」尾道だ。

「えっ、それほんと？」

　ほんとなんだよ。明治中頃まで、尾道は街をあげて酢を醸しまくっていた。大正五年（一九一六年）の時点で、一〇蔵ほどのメーカーが約三万石[2]もの酢を生産する、西の造酢大国だった（ちなみに東の超大国はミツカン擁する愛知県知多半島の半田）。その面影を残すのが、尾道名物の長いアーケード街の奥に佇む尾道造酢の蔵だ。創業四〇〇年超という、造酢業界の最古参のひとつで、蔵のなかはさながら酢の博物館。写真や絵巻でしか見たことのないような巨大な仕込み壺やもろみを搾るアンティークなフネ[3]が現役で稼働している。物置にお邪魔させてもらうと、納品用に使う大きな徳利状の瓶が山のように転がっている。

「この瓶なんですけど、江戸や昭和の記録によると北海道の北の突端まで送られていたそうなんです」

とニコニコ笑顔の工場長。なぜはるか遠くの地まで酢が旅することになったのだろうか？　その理由を解き明かすには、かつての酢の製法と北前船による海運の二つを説明しなければいけない。

＊

第一のトピックス。そもそもお酢とは何か？　端的に言えば、酒を空気に触れさせた状態で、酢酸菌（さくさんきん）というバクテリアを繁殖させて、アルコールを強い酸（酢酸）に変えた調味料のこと。日本における伝統的な酢は、米酢（よねず）と言って、米の酒からつくる。ということは、だ。酢をつくるためには、

・酒のもととなる麹をつくる
・麹から酒をつくる

・酒を酢に変える

という三つのステップが必要。つまりものすごく手間がかかって大変！
もうちょっと詳細を見てみるとだな。まず普通に日本酒を仕込む。そして搾る前の日本酒のもろみに水を足して、四〜六％程度のアルコール度数の液体にする（もろみのアルコール度数は一三〜一八度）。この低アルコール液を、フタのない開放容器（昔は壺が主流）に移し、表面を空気に触れさせた状態で、気温四〇度前後の暖かい部屋で発酵させる。すると液の表面に薄い膜が張っていく。これが酢酸菌のコロニーだ（この薄膜は来年に仕込む酢のスターターになるので取っておく）。薄膜が張ってきたら二〜四ヶ月ほどゆっくりと発酵させ、発酵が落ち着いたら温度の低い熟成蔵に移され、一年ほど寝かせて味をまとめていく。

「なんと！　お酒つくるより大変じゃないか！」

ご明察。酢をつくるのは大変なんだ。こうやって時間をかけて酒を熟成させていく伝統製法を「静置発酵」と言う。ちなみにスーパーで一本一〇〇円で売っているお酢は、醸造用アルコール液をドラム式洗濯機のように空気を送り込みながらグルグル攪拌して一日で発酵をフィニッシュする「全面発酵」という近代化以降の方法論でつくられている。しかし江戸〜明治にかけてはこのオートメーション技術はなかったので、酢は手間のかかる高級品だった。

これ、ビジネスマン視点で見てみるとだな。酢の原料は米だけなので、原料の何倍もの売価をつけられる高付加価値商品、つまりブランディング次第でめちゃ儲かるプロダクト。現代における化粧品や健康食品のようなものだったんだね（実際、酢は古代から世界中で薬として重用されてきた）。

では酢の文化をめぐる第二のトピックス。海運について。この旅を通して全国各地で出会うのが北前船の文化だ。北前船は、秋田の象潟（きさかた）や山形の酒田、福井の若狭湾など北国の日本海沿岸から、山口の下関から瀬戸内海を通って大阪の堺に入る（あるいは始まる）、日本列島の西側を行き来する大航路で、モーターやエンジンがない時代に、潮の流れに乗って大量の物資を輸送するロジスティクスとして発展した。保存期間が長く付加価値の高い発酵プロダクトは、この北前船と深く結びついている。

尾道の酢の場合はどのようになるだろうか。まず原料の米は、秋田の粒の揃わない安価なものを日本海→瀬戸内海のルートで仕入れる。そして尾道で酢に加工して付加価値をつけ、逆まわりのルートで日本海沿岸に売ったのだね。海の商人の街である尾道は、北前船の運航ルートを握っていた。その販路に自前のプロダクトである酢を載せて北前船ルートの果ての北海道、さらに樺太（サハリン）まで売りさばいていた。[*4] ちなみに現代における造酢の雄であるミツカン（中埜酢店）は、知多半島→江戸という東の廻船航路を制覇した。モノを売るビジネスの基本は、商品開発力×販路営業力だ。良い商品がつくれても販路がなければよそに卸して高い仲介料を払わなければいけない。販路をすでに持っているところが自前で商品をつくれば好きな値段をつけることができる。つまり最強。これ尾道商人なり。

この「コンビニがプライベートブランド商品をつくる」的な方法論で酢を売りまくった、海のビジネスマスター尾道の経済は隆盛を極めた。尾道造酢の母体となった豪商、橋本家からは、広島銀行や尾道の鉄道の創設に関わった有力者が輩出された。つまり酢は尾道、ひいては広島の経済躍進の重要な役割を果たしたと言えるのだ。

尾道造酢の現在の敷地から港までの三〇〇mは、全盛期にはすべて酢の醸造場であったという。北前船で運ばれた原料をダイレクトに蔵に積み込み、完成した酢をダイレクトに港から出荷していたのだろう。レトロな建物が立ち並ぶ小路を抜けて海に出た。

誰もいない堤防に猫がちょこんと座ってあくびをしていた。対岸には向島の造船場が見える。海の商人たちのダイナミックな貿易はやがて富国強兵とアジア制覇の夢とともに、大規模な造船業へと姿を変えていった。

＊

尾道から瀬戸内海沿いに一〇〇㎞ほど東に向かうと、岡山の古い港町、日生にたどり着く。港のすぐとなりにある割烹料理屋、「天坊」の大将にママカリをさばく様子を見せてもらいに来たのだ。岡山県の郷土名物、ママカリはサッパという小ぶりな青魚の別名。春先や秋口に湾に押し寄せてくるこの魚を酢漬けにしてご飯のおともにする文化があるんだね。このママカリ。適度に身がしまって、かつ脂も乗っていて食べ飽きない。あまりにも美味くてご飯がすっ飛んでいくのでおとなりさんに「ママ（飯）借りにいかなきゃ！」ということで飯借（ママカリ）だそうな。

これぞ割烹料理屋の大将！な面構えの山口功さんが慣れた手付きでさばくママカリ。頭と内臓をとって三枚におろした身をまずは一晩塩漬けにして水を出す。塩気を取って今度は唐辛子や糖分を加えて調味した酢に一～二ヶ月ほど漬ける。これを酒の肴やご飯のおともにするのが基本。あるいは酢の浅漬けでメて、酢飯と握るとママカリずしとなる。淡泊すぎず旨味があって、適度に酢が効いて食欲をそそる。確かに無限に食べられそうなカジュアルグルメ。に、日本酒飲みたい……！

店のカウンターごしに大将と話していると「ウオジマ」という聞き慣れない単語が出てきた。

「春になるとな、日生の入江に魚の大群が押し寄せてくるんだ。あまりにも魚が密集しているんで地面が盛り上がっているように見える。だから魚の島、ウオジマと言うんだ。海を見てウオジマが来たぞお！　と叫ぶ。それが漁師の一年の始まりなんだ」

都会人が公園で花見をして新しいシーズンが始まるように、魚の大群が押し寄せてくると漁師の新しいシーズンが始まる。ウオジマ、なんと風情がある言葉ではないか……！

「もうひとつ。ウオジマには大宴会という意味もある。大漁の魚をテーブルを覆い尽くすぐらい並べてみんなで酒を飲む。これもまたウオジマなんだ。でも最近やらないねえ、ウオジマ。漁師も少なくなったし、魚もとれなくなった。ちょっと寂しいよ」

なぜ日生で魚がとれなくなったのか？　漁協に聞きにいってみると「海がキレイになりすぎたから」とのこと。昔は生活排水が適度に湾に流れ込み、その有機物が魚の餌となるプランクトンを育てていた。ところが生活スタイルが現代的になるとともに、生活排水の質が変わって海に流せなくなり、下水が整備された。

「昔は海がそんなにキレイじゃなかった。暖かい時期になるとちょっとクサイぐらいだった。でもそれが魚には良かったんだろうなあ。キレイすぎても漁はできないねえ」

と日生の漁師は言う。海と人との適度な距離。この距離感がおかしくなると、海の幸は人間から遠ざかる。ただ「とる」だけ、海から「もらう」ことだけを考えていては、もうウオジマはやってこない。

＊

今度は山へ。日生から北に五〇㎞ほど内陸に登ると鳥取の岡山との県境、智頭(ちづ)の山村に出る。深い山間に流れる川沿いの集落の丘を登ると、國政勝子さんの家に着く。立派な木造のお屋敷だ。代々智頭で暮らす一家に生まれた勝子おかあさんの柿の葉ずしが食べたかった。

奈良をはじめ西日本一帯で食べられている柿の葉ずし。そのほとんどは、ちまきのように柿の葉でご飯を包んでつくる押しずしスタイルなのだが、智頭町のすしは柿の葉に握り飯を載せ、さらにそのうえに具を載せる握りずしスタイル。葉の緑、飯の白、具のピンクが目に鮮やかで可愛らしい。

そのつくりかたを説明するとだな。初夏から秋口までに摘んだ柿の葉に、酢でメた白米とサクラマスを握ったすしを載せ、山椒の実や穂など季節の香草をアクセントにする。それを桶に仕込んで何段も重ね、一週間弱発酵させる（一日の浅漬けで食べることも）。柿の葉と酢によって腐敗を防ぎ、お盆の暑い時期の防腐対策としたのだろう。一度に何十個と仕込むので、柿の葉ずしは親族や村の共同体で集まって食べるパーティ食なのだ。

「いつからこのおすしがあるのかは知りません。私は祖母から教わって、その祖母もまた彼女の祖母から習ったの。そうやってずっとおばあちゃんの味が続いてきたのよ。私も気づいたら五〇年以上柿の葉ずしをつくり続けているみたい」

と勝子おかあさんが恥ずかしそうにポツリポツリとしゃべる。今でこそ一年を通してお祝いの場で食べられる柿の葉ずしだが、元はお盆の終わりを告げる「精進落し（しょうじんおとし）」として食べられていた。現代の精進落しは死者の火葬が済んだ夜に食べる食事のことを指すが、元は神事や巡礼、重大な災害などが落ち着いた後に「おつかれ！」という気持ちを込めて食べるごちそうのことだ。

山深く、肉食を禁じられた土地で、貴重な魚肉と白米をいっぺんに食べられる柿の葉ずしはお盆という夏の一大事を終えた共同体の労をねぎらう、ありがたい山のおすしだったのだろう。年に一度のことだから、見た目に美しく、味も酸味と甘味が効いている。智頭のおばあちゃんの優しさがしみじみと伝わってくる郷土ずしの真髄だ。

勝子おかあさんの話を聞いていると、郷土ずしはスピリチュアリティと深い関係を持っているらしいことがわかる。智頭には二つの郷土ずしの文化がある。一つはお盆の精進落しに食べる柿の葉ずし。もう一つは、正月に歳神さまにお供えするサバのなれずしだ。前者はご先祖様が帰った後の「おつかれ！」で、後者は新年を迎える「ようこそ！」だ。

この言い伝えは、僕の母方の実家、佐賀の漁村を思い起こさせる。漁師たちは、お盆が始まると漁に出なくなる。この時期に海に行くと「ご先祖様に連れて行かれてしまう」ということなのだそう。お盆の最後の日に紙や木でつくったミニチュアの船にお供え物を入れて海に流し、その儀式が終わったら漁に出て、魚が食べられるようになる。水と深くつながった土地において、お盆の終わりに魚を食べることは彼岸と此岸の境界線を引く特別な食事であることがわかる。かつての地域文化において、おすしは神様と人とのあいだをつなぐ重要な食べ物だったのだ。

サケ科のサクラマスは川と海の両方で生きる魚。それはつまり智頭と瀬戸内海をつなぐ存在でもある。海の信仰が、すしを媒介として山村に伝わった。智頭の柿の葉ずしはそんな歴史の名残だ。

旅を続けるあいだ、ふと勝子おかあさんがすしを握る手を思い出すことがあった。五〇年以上ずっと庭の柿の葉を摘んで、米を包んできたまるっこい手のカタチ。寡黙な勝

子おかあさんの口のかわりに、その手は僕に土地の記憶を雄弁に語ってくれた。この手に包まれたおすしは、土地の記憶を伝える、言葉ならぬ言葉。一口一口大事に物語を噛みしめたら、涙が溢れてきた。

「会ったことがないのに、なぜか親しい人のように感じる……。なんだろう、親戚に会ったような感覚？」

僕の撮った旅のポートレート写真を見た友人の女の子が言う。柿の葉ずしを握る勝子おかあさんの姿には、いち個人を超えてその土地の暮らしを浮かび上がらせてくれる力がある。誰しもが、かつて彼女におすしを握ってもらったような気がする懐かしさ。それは勝子おかあさんに限らず、僕が出会った醸造家や漁師、農家たちの姿には不思議に自分の記憶を呼び覚ますような喚起力がある。

いったいなぜだろう？

それはきっと、食という感覚的な記憶に結びついたイメージだからだ。言語で伝える記憶と違い、味覚は時系列の記憶ではない。子どものときに体験した味わいは「かつての記憶」として引き出しにしまわれることなく、ふとした折にまるで今この瞬間に体験しているかのように生々しく蘇ってくる。それは情報としての記憶ではなく、感性の記憶。おすしを握る勝子おかあさんの姿は、ふだん閉ざされている感性の記憶のドアを開いて、親しい家族や友人との思い出を呼び起こす。懐かしい味や香りとともに。

僕がこの旅で出会ったのは、いち個人であると同時にその土地で生きてきた、幾世代にわたる無数の人々のアーキタイプだった。その顔、その手、その息遣いの向こう側に見えるのは、自分の見知った懐かしい誰かの面影。記憶のドアのわずかな隙間から覗いたその面影を求めて、僕は旅を続けた。歩き続けるほどに、なぜかその面影は遠のき、靄のかかった暗闇の彼方へ消えていった。

＊

中国地方から瀬戸内海を渡った四国北部のエリアにも酢の文化が根付いている。なかでも愛媛の北沿岸部。小料理屋さんでメニューを眺めてみると、ふぐの身をざく切りにした刺し身をポン酢に浸した「ふぐざく」や甘酢を効かせたちらしずし「松山鮓（ずし）」や赤カブを酢漬けにした「緋のかぶら漬け」などなど、とにかく酢をフル活用する。さらにそこに柑橘（かんきつ）を搾ったりするのだから、愛媛は「酸っぱい美食大国」だ。

そのなかで僕がとりわけ気になったのは、おからを酢飯に見立てたすしの文化だ。たまたま松山の道の駅で見かけた「いずみや」なるまん丸のカタチをした不思議なおすし状の食べ物。パッケージに書かれた住所を頼りに、松山から南西へ行った伊予の海沿いにあるお豆腐屋さんを訪ねた。

小さな港に所狭しと漁船がひしめく五色浜(ごしきはま)。大正時代に建てられたレトロな灯台のある駐車場に車を停め、まず神社にお参りにいく。別にお願いしたいことがあるわけではなくて「お邪魔します」と挨拶を込めて柏手を打つ。山形の鶴岡で出会った山伏の星野先達(せんだつ)から、

「祈りに意味はいらない。ただ目的なくお祈りするだけでいいんだ」

とアドバイスをもらってから、新しい場所を訪ねたらとりあえずその土地の神社仏閣に行くようになった。訪問の挨拶と、古くからその土地を見守ってきたことへの表敬も兼ねて。

五色浜は一瞥して古くから人と海をつないできたことがわかる港だ。水が人懐っこく、波に近づくことを拒む気配がない。港沿いに佇む三好食品は、建物を見るだけで懐かしさでいっぱいになる街場のお豆腐屋さん。奥に向かって「お邪魔していいですか!?」と声をかけると、お豆腐みたいにプルプルのお母さんが出てきた。

「あらぁ、いずみやのこと調べに来たのね。ちょうどおからの酢飯ができたから食べて

みる?」

と工場のなかに案内してくれた。

いずみやは白米が高級品だった時代の、庶民のためのすしの代用品だ。おからに甘酢と生姜をまぶして一～三日ほど寝かせて味を落ち着かせる。それを酢飯として、同じく酢で軽く〆た旬の青魚を握ってすしにする。高級魚は使わず、アジやイワシ、サヨリなど安価な青魚を使うのが基本。なかでも典型的なのがコノシロ。これはコハダが成長したものだ。ほら、おすし屋さんのコハダは必ず酢で〆てあるでしょう。これは生でそのまま食べると臭くて美味しくないから。酢で〆ると生臭さがとれて、かつ身がしまって旨味が出てくる。コハダがさらに大味になったコノシロを食べる最良の方法は酢じめなんだね。

昔から豆腐は庶民が手軽に食べられるタンパク源だった。そして豆腐をつくるとその副産物としておからが出る。ポロポロとした食感で、味のない出がらしであるおからを有効活用する手段として、酢で〆て米の代用品とする発想が生まれた。三好食品のような街場のお豆腐屋さんがいずみやをつくるのは必然だったわけだ。大正八年(一九一九年)から五代続く三好食品のおから酢飯は甘酸っぱいけどベタベタしない、品のある愛媛らしい酸っぱさ。魚と一緒に食べると食べ飽きしない愛嬌のある食べ物になる。

ちなみにお母さんの長男と三男も工場で働き、次男は外の豆腐屋さんで修業中。孫もたくさんでこの家族だけで地方の少子化と過疎化を防いでいた。ラブリーでたくましいお豆腐屋さん……！

さて、この「いずみや」なる不思議なネーミング、いったいどこから？　どうやら松山から東に行った新居浜が発祥らしい。さっそく新居浜に向かい、浜の近くの旅館のおかみさんや居酒屋の旦那さんに聞いてみると「いずみや？　なんですかそれ？」とみんなキョトンとしている。あれ？　新居浜ではみんないずみやを食べているものだと思ったら、ほとんど幻のメニューではないか。郷土料理のお店に電話をかけまくり、ようやく地元で人気の割烹料理店とコンタクトが取れた。さっそくカウンターで大将に話を聞いてみると、

「泉屋はね、江戸時代にこの新居浜で銅山をひらいた豪商、住友家の家号だったんだ。銅山事業のためにやってきた住友家のたぶん使用人だろうねえ。なんとかすしを食べたくて工夫したのがおからを使ったおすしで、泉屋の者が食べていたおすしがそのまま名前になったんだと言われているけど、ずいぶん昔の話だし、さてどうかなあ」

このいずみや、新居浜ではもうほとんど食べられていない。西側の伊予や宇和島のほ

うでは「丸ずし」という名前で手づくりされていることも教わった。このお店でもいずみやを食べられますか？　と聞いてみたら、大将の息子さんが、

「数日前に予約してもらえれば。おからをキレイにすりつぶして滑らかにしてから酢に漬けるんで、下処理に時間がかかるんです。うちは料亭なので家庭の味よりもレベルの高いものをつくらないといけないでしょう。けっこう美味しいと思いますよ」

とニヤリと笑った。庶民の素朴な味があれば、プロの研ぎすまされた味がある。このダイナミズムがレシピを「とりあえず食べられるもの」から「どうしても食べたいごちそう」としての文化へ導くのだ。

よし、次に愛媛を訪ねるときは料亭の本格派いずみやを食べに行こうではないか。

＊1　乳酸発酵による酸よりも、酢酸のほうがpH値が低くて防腐性が強く、発酵させる時間もいらないので手軽。
＊2　一石＝一升瓶一〇〇本。つまり一升瓶で約三〇〇万本分＝五四〇万リットル。
＊3　漢字で「槽」。てこの原理を利用して重しでもろみから液体を搾っていく大きな容器。
＊4　この北海道ルートは江戸後期以降に開拓された航路で、昆布やサケなどを運ぶために開かれたと言われる。詳しくはコラム（→P.126）を参照。

Column 3

すしの進化史

新鮮な魚介を酢飯で握って食べる。和食の代名詞となったこの江戸前ずしのルーツを辿っていくと、そこにはローカルな海の発酵文化の進化の歴史があります。今日僕たちが当たり前のように食べているすしは一朝一夕で生まれたものではなく、何百年にもわたる膨大な試行錯誤があるんですね。

第一ステップ　魚醬・塩辛

秋田のしょっつるのような魚醬と、富山の黒作りや大分のうるかのような塩辛が魚介の加工技術の原点。塩に漬けることで防腐効果を効かせ、酵素でドロドロに溶かしたものが調味料（魚醬）に、旨味の詰まった身を食べると珍味（塩辛）になったわけです。この二つは世界中で普遍的に見られるものなので、発酵文化の原型と言えるでしょう。

第二ステップ　なれずし

　魚の身を塩と米に混ぜて長期間発酵させ、第一ステップの塩味と旨味に加えて乳酸発酵の酸味や香りを加えたなれずしが次のステップ。滋賀のフナのなれずしや岐阜のアユのなれずし、北陸や西日本のサバのなれずしなどがあります。強い酸が雑菌の侵入を防ぐので、数年間も保存がきくようになりました。すしにはもともと「酸（っぱ）し」という当て字もあります。魚と米が酸っぱくなると腐らず美味しい、というすしの基本コンセプトがこのなれずしで確立したわけです。

第三ステップ　酢漬け

「酸っぱくすると腐らない」という第二ステップの原理の応用編がこれ。時間をかけて乳酸発酵させるのではなく、そもそも酸っぱい酢に漬けてしまおうという発想です。岡山のママカリずしや鳥取の柿の葉ずし、愛媛のいずみやなどが良い例ですね。熟成感や発酵感を強調するなれずしに対して、酢漬けは魚介のフレッシュさも担保するので、この第三ステップにおいてすしに「新鮮さ」という要素が加わることになります。

第四ステップ　江戸前ずし

江戸時代に入り、漁や流通の技術が発達するに従って、酢飯に新鮮な魚介を載せるという、おなじみの江戸前ずしの文化が生まれます。僕の住む山梨は海がないくせに昔からやたらすし屋が多く、成立当初の江戸前ずしの面影を垣間見られます。現在では解凍した生の魚をネタに使いますが、山梨のオールドスタイルのおすしは、ネタを酢でさっと〆たり醬油やタレに漬けたりとひと手間かけたもの。長期間熟成ではなく「ひと手間かけて」酸っぱさや発酵の効果による保存性を担保し、その店独自の美味しさを演出していたわけですね。そういう意味では、現代でも定番のコハダや〆サバなど、酢で〆たすしは第三ステップと第四ステップの江戸前ずしのブリッジと言えるでしょう。

第四章　微生物の誘う声　離島へ

離島は日本の原風景だ。かつて日本で人間がどのように生きていたのか。その生活様式と精神性が今日に至ってもまだそこに生きる人たちに息づいている。そしてもうひとつ。離島にはアジアの様々な民族が海を伝って交じり合ってきた痕跡が刻まれている。つまり日本という国の固有性と流動性を同時に垣間見ることができる場所なのだ。

それはもちろん発酵文化についても当てはまる。離島の多くは食材を自由に調達することができず、水の確保も、つくったものを商品として外に売ることも難しい。つまり限られたローカル素材を徹底的に活用することになる。その結果、通常では考えられないような摩訶不思議な発酵技術が生み出される。なぜそうなった？　という発想のジャンプ、途方もない手間、そして持続性を担保するための工夫の数々。かつて日本列島のほとんどの地方で、庶民がサバイブするために蓄積したであろう知恵の結晶が離島にはある。

＊

青ヶ島。伊豆諸島の最南端、八丈島から七〇㎞ほど下ったところにポッンと浮かぶ人口わずか一六〇人ほどの孤島がある。ここは大きな噴火口のクレーターのなかに小さな火山があるという、世にも珍しい二重カルデラの火山島だ。海面からダイレクトに崖がそびえ立ち、わずかな浜の波はひどく荒い。人間を拒むような環境に六〇〇年以上前から人が住みついていたらしい。一八世紀の終わりに火山の爆発によって住民全員が隣の八丈島に避難し、そのまま無人島になるかと思いきや半世紀かけて住民のほぼ全員がまた青ヶ島に戻ったという、ローカル精神最強出力の土地だ。この青ヶ島、起源がわからないお面の神事[*1]があったり、火山帯ならではの珍しい植物の生態系があったりとユニークな土地なんだけど、発酵文化もその例にもれず強烈に独特なものがある。それは、野生の微生物で醸す焼酎「青酎（あおちゅう）」の文化だ。

十一月の半ば、僕は離島と焼酎に詳しい知人のオファーで青ヶ島に行けることになった。羽田空港からまず飛行機で八丈島に行き、そこから小型ヘリに乗り換える。うまく乗り継げれば東京から四時間程度でたどり着ける。が、一〇人弱しか乗れないヘリの予約がとれず、そもそも船も週に四～五便しか運航していないうえに、天候や波の荒さのせいで二分の一の確率で欠航する船のタイミングがあわなければ八丈島で数日じっと待たないといけない。運の強弱でアクセスの難易度が変わる不条理な島だ（ちなみに僕は知人のアテンドでスムーズにたどり着くことができた）。

青ヶ島の異空間っぷりは色々とあるのだが、まず住所がない。島内は民家も商店も工場もすべて同じ住所、「無番地」だ。番地のないヘリポートに降り立つと、空はくっきりと晴れているのに、嵐の前触れのような強風が吹き荒れている。クレーターの上にあるわずかな平地に人家のほとんどが集まり、クレーターの下には現在もなお活動しているプリンのようなカタチの小火山。サボテンのような竜舌蘭（りゅうぜつらん）がニョキニョキ生え、赤茶けた斜面から吹き出す地熱で芋をふかしたり卵を茹でたりできる。小火山の周りに茂るジャングルのような森で、溶岩やソテツの木に寄生して育つ、手塚治虫のSF漫画に出てきそうな奇妙なカタチのシダ植物。オオタニワタリがこの火山島の発酵文化のシンボルだ。

それはなぜかというとだな。このオオタニワタリに棲み着く黒いカビが「青酎」を醸すスターターになるからなのだ。

島の中心地であるクレーターの上の集落から海のほうへしばらく下りていった先に、青ヶ島酒造の工場がある。ここは各家庭で焼酎を自家醸造してきた島民たちが組合形式で集まってつくった酒造だ。組合形式なので社長がいてスタッフがいて……という仕組みではなく、数名の醸造家がそれぞれの醸造設備やタンクを受け持ち、各々のスタイルの酒をつくっている。このなかの一人、奥山晃（あきら）さんに青酎の仕込みを体験させてもらうことができた。

現在は男性がつくることが多い青ヶ島の焼酎だが、かつてはお母さんたちがお父さん

のためにつくる文化だったようだ。晃さんの焼酎の製法は、お母さんから習った伝統スタイル。日本における焼酎づくりのルーツを感じさせる、ワイルド&シンプルなもの。僕もそれなりにあちこちの焼酎蔵を見てきたが、青ヶ島の伝統スタイルを見たときは「ほ、ホントですかこれ?」とびっくり仰天してしまった。さてその青酎の伝統製法は以下のようなものだ。

・蒸した麦に野生の黒い麹菌[*2]をつけて焼酎麹をつくる
・麹と蒸したサツマイモを雨水に混ぜ、蔵に棲む野生の酵母で発酵させてもろみにする
・もろみがじゅうぶん発酵しきったところで蒸留して高濃度のアルコールを取り出す

以下ポイントを説明していこう。

麹をつくるときは、種麹と言って、菌のスターターを食材に添加しなければいけない（パン種をつくるときのドライイーストのようなものだ）。通常、この種麹は「もやし屋」[*3]と呼ばれる菌の培養メーカーから商品として仕入れるのだが、青ヶ島は五〇年ほど前まで年に数回しか定期船が来なかったような超僻地だったので、種麹も自家採種スタイルになった。酒や味噌用の米麹では稲穂や米から採取するのだが、青ヶ島ではなんと！麦のうえにオオタニワタリをかぶせて種付けをするという文化が生まれた。肉厚な葉の繊維に棲む黒麹菌が麦に引っ越しして麹を発酵させるのだ。[*4]オオタニワタリは発酵のスターターだけでなく、発酵が進むうちに出る熱や水分を適度に吸収して調整する役割も果たしてくれる。貴重な嗜好品である焼酎を醸してくれるそんなオオタニワタリを、島民は大事に扱ってきたんだね。

麹の次はもろみ。三日ほどかけて温度と湿度をコントロールしてできあがった麹[*5]を、タンクのなかで雨水[*6]と蒸したサツマイモと混ぜる。

サツマイモを使った焼酎の元祖である鹿児島の薩摩焼酎のスタンダードと比較してみよう。薩摩焼酎では、もやし屋の培養した種麹を米につけて米麹をつくり、そこに水と同じく人工的に培養された酵母を加えて、まず甘酒とどぶろくの中間のようなものをつくる。次に蒸したサツマイモを足してさらに発酵を促す二段仕込みスタイル。対して青ヶ島式のクラシック製法は、麦の麴を最初から水とサツマイモに混ぜて一段で発酵させる「どんぶり」と呼ばれるスタイル。そして酵母も島に棲み着いている野生の菌だ。バナナ色の泡を盛んに出しながらプクプク、シュワシュワと発酵する青酎のもろみはパイナップルのような、花の蜜のような不思議な香りがする。舐めてみると、強い酸とわずかな苦みを感じる。香りはフルーティで、味はどこか金属のように青く光る、不思議と官能的な風味だ。人によって好き嫌いが分かれそうだが、僕は青酎のフレーバーに強く惹きつけられた。

最後に蒸留器にかける。もろみを熱し、その湯気を気化させてアルコール分を取り出していく。[*7]蒸留器の蛇口から最初にポト……ポト……と出てくるアルコール度数六〇度以上の液体は「初垂れ(はなた)」と呼ばれ、もろみのフレーバーがさらに濃縮された、アルコールも風味も強烈なスピリッツだ。こいつを一口飲むと、焼酎という概念が崩壊するほどのインパクトに打ちのめされる。南国の果実と花の香りが鼻腔を越えて目の奥まで押し寄せ、網膜に青みがかった虹色の極楽鳥が大群で飛んでいくようなイリュージョンを映し出す。トランシーな蒸溜酒なのだ。

摩訶不思議な野生菌によって醸される青酎。その起源は薩摩（鹿児島）から。一九世紀の半ば、密貿易で八丈島に流刑にあった薩摩商人、丹宗庄右衛門が母国から焼酎に適したサツマイモと醸造&蒸留装置を八丈島に持ち込み、その焼酎製造の文化が青ヶ島にも伝わったということだそうな。八丈島にある丹宗庄右衛門と焼酎の記念碑には味わい深いエピソードが書いてある。一九世紀は飢饉が多かったらしく、米で酒をつくることが禁止された。そんな折に薩摩から焼酎おじさんが流れてきて「米がなくても芋で酒つくれるでごわす!」と言って、島民みんなたいそう喜びましたとさ……というものだ。「やったぜヒーロー到来!」と全島民大歓喜の瞬間だったんだろうね。

青ヶ島において、サツマイモは島民の生命線。雨水に頼った、水源のない土地では稲作はできない。そのなかでサツマイモは火山灰で埋まった痩せた土地でも育つ貴重な栄養源だった。各家庭で飼っている牛を引いて土地を耕す。秋から春にかけて麦を、夏から秋にかけてはサツマイモを育てる。麦を収穫したら秋までとっておき、秋になったらまず主食ぶんの芋を収穫する。そして小さな芋や切り落とした端っこのほうを麦でつくった麹と合わせて焼酎にする。さらに余った芋を牛に与え、焼酎のもろみ粕は土に戻して肥料にする。

なんて素敵なトライアングルなんだ! 芋と麦と牛が島のなかでグルグル回っている。青ヶ島の秋のお楽しみは、蒸したてのサツマイモを頬張りながら、青酎をグビリと飲むことだ。島の夕焼けの空に、青い極楽鳥が飛んでいく。

サァーサァーサァーサァーという音は潮騒だろうか。それとも草木が風でなびく音だろうか。

壁一面が黒いカビで覆われた蔵のなかで耳を澄ます。この音は、タンクのなかから聴こえてくるさざめきだ。もろみの表面全体が大量の泡で覆われ、潮の流れのように泡が対流していく。よく聴くと、さざめきに混じってプップッと泡のはじける音。そこに液体が流れていく音が重なって蔵全体が潮騒のように鳴っている。

島の生命が湧き上がっている。私を飲めと誘う声に耳を傾ける。

*

青ヶ島にいると、かつて日本に住む人の多くが当たり前としていた暮らしかたや世界の感じかたを追体験することがある。青酎の醸造家の奥山晃さんはじめ、島民はみんないくつもの仕事を掛け持ちしている。港や道路の整備をして、牛の世話をして、畑をやって、焼酎をつくって……と朝から晩まであれこれと作業をしている。もちろん経済的な問題もあるのだろうが、人口の少ない離島では、一人何役も仕事をこなさないと島内の社会が回っていかないのだ。みんなが専業に特化すると、島のインフラが立ち行かなくなってしまう。一人何役もやれば、結果的に一六〇人の何倍もの人手で社会の様々な役割を果たすことができる。百姓であることは小さな社会を持続させていくための知恵なのだ。

そして。時間の感覚と自然への向き合いかたについて考えさせられる旅のエピソードがあった。焼酎の仕込みが終わり、本土へと帰る予定の朝。起きると強い風と台風。晃さんが、

「今日はヘリはきっとお休みだあ。ヒラクくん、しばらく帰れねえよ」

と言うではないか。なんと！　僕、明日はテレビ番組の生出演の予定があるんだけど。これは困った……。この時期は風が強いから船は出ない可能性が高いし、ヘリの予約の振替えはできない。つまり数日間は島から帰れない可能性が高い。ヤバいぞ僕、たくさんの人と予算が動いている大イベントがおじゃんになる、社会的信用を失ってしまう！　と冷や汗をかいていたのだが、酒造の裏の高台から海を見ていたら、なぜか気持ちが落ち着いてきた。

「人間の都合なんてちっぽけなものだ。僕は自然の都合でしか動けない」

波が高いから、しょうがない。雷が鳴るから、しょうがない。焼酎だって、微生物の

都合でしか発酵しない。自分の思うようにいったら喜べばいいし、思うようにいかなかったらのんびりお昼寝でもしていればいい。「自分の都合」をいったん脇に置くと、不思議と気持ちがラクになる。良いことにも悪いことにも動じなくなる。「自然の都合」を軸にすると、一〇分二〇分を必死でかき集めている現代人の時間軸が、一日、一週間、一ヶ月とのんびりになっていく。自然の都合で行けないのなら、今が行くべきときじゃなかっただけ。やりたいと思っていたことができなかったら、やる必要のないことだっただけ。だからドントウォーリー。

海を見ながらそんなリラックス状態に入っていたら、見る間に雷雲が去って青空が見えてきた。島の人が驚くぐらいの奇跡が起きて、僕は現代の世界に帰れることになった。ホッとした反面、帰れなかった後の世界も見てみたかったな……と惜しい気持ちを抱えながらヘリに乗り込んだ。上空から見る青ヶ島は、もろみの海のなかに浮かぶ微生物の気泡のようだ。自然のきまぐれで発酵し、やがて遠い未来、時がきたらまた混沌へと帰っていく。

僕だって同じだ。自分の意思を超えた縁でとある土地に出会い、そこで誰かに出会って一緒に働いたり家族になったりしてプップッと暮らしの泡を立てる。そして時がきたらまた土や水のなかに消えてなくなっていく。それがいつか？　それがいつでも「然るべきときだ」と思えるように生きていきたい。

＊1　島の総鎮守である大里神社には、昭和四〇年頃まで行われていた「でいらほん祭」で使った男鬼と巫女のめちゃ不気味なお面が飾られている。
＊2　アスペルギルス・ニガーやアスペルギルス・リュウキュウエンシスと呼ばれる、クエン酸を出す熱帯のコウジカビ。
＊3　コウジカビの胞子を培養し、用途別に菌を株分けして膨大なカビのカタログを持っている。日本の発酵文化の屋台骨を支える大事な存在。
＊4　クレーターの下に降りるのが大変なお母さんは、アジサイの葉で代用していたらしい。現在ではオオタニワタリに加えて、前年度につくった麹の一部を種として使う、〝ヨーグルトの手づくり方式〟を採用することも。
＊5　通常、芋焼酎の麹は米なのだが、青ヶ島では麦で麹をつくる珍しいスタイル。
＊6　伝統的には木の隣に置いたカメに溜めたもの。今は島全体で雨水を集め、ろ過工程を経たものを使う。
＊7　蒸留の基本原理は、水とアルコールが気化する温度差を利用して、もろみ内の水分とアルコール分を分離させること。水の気化温度が一〇〇度でアルコールは七八度。

Column 4
日本人は何を食べてきたのか

各地のローカル発酵文化を訪ねてみると、食材の多彩さに驚かされます。日本の発酵文化のバリエーションの豊かさは、微生物の他にも食材の多様性に支えられているんですね。今回の旅で登場した食材のリストはこちら！

魚・軟体動物・哺乳類

サケ（北海道 山漬け）／ハタハタ（秋田 しょっつる、いずし）／メヌケ（宮城 あざら）／イワシ（千葉 ゴマ漬け）／アジ・トビウオ（東京新島 くさや）／カツオ（静岡 かつお節、潮かつお）／イカ（富山 黒作り）／フグ（石川 ふぐの子）／サバ（福井 へしこ なれずし）／フナ（滋賀 なれずし）／アユ（岐阜 なれずし／大分 うるか）／マス（鳥取 柿の葉ずし）／サッパ（岡山 ママカリずし）／サワラ・コノシロ等（愛媛 いずみや）／スケトウダラ（福岡 明太子）／クジラ（佐賀 松浦漬け）

植物・海藻類

米（全国　麴・なれずし・清酒・酢など）／大豆（全国　味噌・醬油・納豆・豆腐類全般）／小麦（全国　醬油・焼きまんじゅう・くずもちなど）／大麦（九州～離島　味噌・青酎など）／サツマイモ（九州～離島　せん団子・青酎など）／茶（四国　碁石茶・阿波晩茶）／白菜（宮城　あざら）／キュウリ（山形　煎じきうり）／唐辛子（新潟　かんずり）／雪白体菜（埼玉　しゃくし菜漬け）／ゴマ（千葉　イワシのゴマ漬け）／ラッキョウ（栃木　たまり漬）／すんき菜（長野　すんき漬け）／甲州ブドウ（山梨　甲州ワイン）／赤紫蘇（京都　しば漬け）／ウリ（奈良　奈良漬け）／ナス（和歌山　金山寺味噌）／守口大根（大阪　守口漬け）／柿の葉（鳥取　柿の葉ずし）／津田カブ（島根　津田カブ漬け）／蓼藍（徳島　藍染め）／あかど芋（熊本　あかど漬け）／キリンサイ（宮崎　むかでのり）／ソテツ（鹿児島奄美諸島　なり）

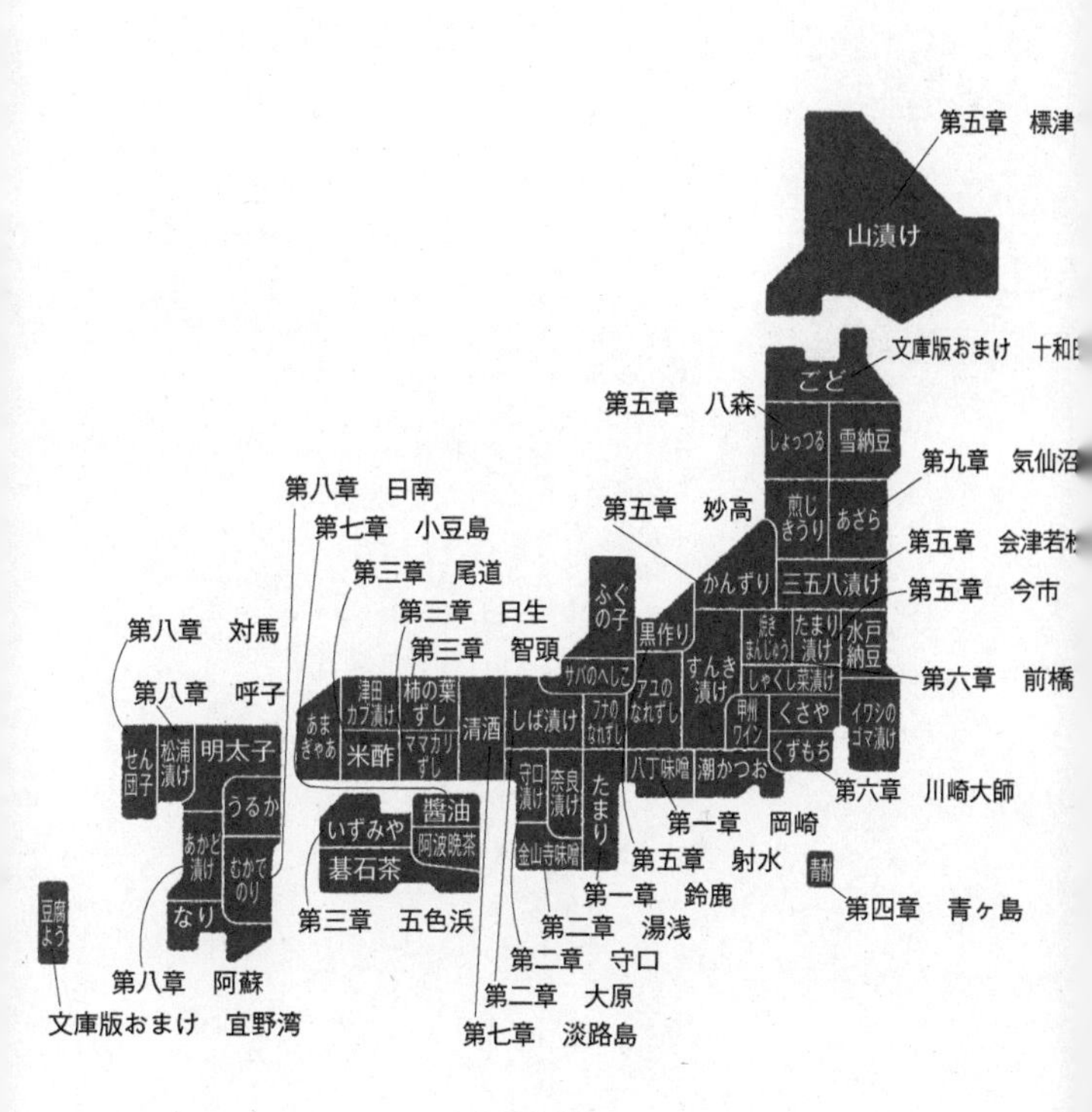

第五章　標津
山漬け
文庫版おまけ　十和
ごど
第五章　八森
しょっつる
雪納豆
第九章　気仙沼
第八章　日南
第七章　小豆島
第五章　妙高
煎じきうり
あさら
第五章　会津若
第五章　今市
第三章　尾道
かんずり
三五八漬け
第三章　日生
ふぐの子
第八章　対馬
第三章　智頭
黒作り
すんき漬け
たまり漬け
水戸納豆
第六章　前橋
サバのへしこ
しゃくし菜漬け
第八章　呼子
津田カブ漬け
柿の葉ずし
アユのなれずし
甲州ワイン
くさや
イワシのゴマ漬け
あまぎゃあ
清酒
しば漬け
フナのなれずし
せん団子
松浦漬け
明太子
米酢
ママカリずし
くずもち
守口漬け
奈良漬け
たまり
八丁味噌
潮かつお
第六章　川崎大師
うるか
醤油
第一章　岡崎
いずみや
阿波晩茶
あかど漬け
金山寺味噌
第五章　射水
むかでのり
碁石茶
青酎
第一章　鈴鹿
第四章　青ヶ島
なり
第三章　五色浜
第二章　湯浅
豆腐よう
第二章　守口
第八章　阿蘇
第二章　大原
文庫版おまけ　宜野湾
第七章　淡路島

第五章　旅の身体感覚　北へ

旅とは移動の連続だ。ある地点から別の地点へ。振り返ってみれば、旅先での用事よりも多くの時間を割くのは移動という行為。出発地から目的地までの無為の時間が旅の本体であるとも言える。新幹線や飛行機、高速道路が発達した現代ですらそうなのだから、近世以前は歩く（あるいは馬に乗る）ことが旅の大部分を占めていたはずだ。険しい山を越え、ぬかるんだ湿地を進み、夏の日照りや冬の吹雪に苦しみながら歩を進め、あるときパッと景色が開け、心地よい風が移動の疲れを癒やす。この移動に伴う体験が、旅の身体感覚を磨いていったのではないだろうか。土地ごとのテクスチャーを認識し、風の流れを読み、季節の変遷を感じ取る。

そうやって道は旅人に世界のことを教えてきた。和歌で土地の名を詠むことは、無数の旅人たちの移動のダイナミクスを文化のなかにアーカイブしていく行為だと言える。つまり、道を歩くということは過去の人々の感覚を追体験するということだ。

この旅を始めた当初、僕はなるべく効率的に四七都道府県を回るために最も移動時間の短い移動方法を選択していた。ところが、ある経験をきっかけに考えを改めるようになる。栃木の日光市今市（いまいち）から福島の会津若松への旅路だ。

＊

日光市今市は、日光東照宮の一〇㎞ほど手前にある街道町。古くから東照宮参りに前泊する宿場町として、そして東照宮と江戸（徳川幕府）、さらに徳川家とのつながりが深い会津を接続するハブでもある。今なお残る日光街道と例幣使街道[*1]には巨大な杉並木が立ち並び、近世からの交通の要所であったことを伝えている。

この今市にたまり漬けという発酵文化がある。味噌の副産物であるたまりに野菜を漬け込んだもので、もともと地域の農家の手づくり文化だったものを、四〇〇年以上続く今市の老舗商家、上澤家が郷土土産として戦後に売り出したものだ。このたまり漬けの元祖である上澤梅太郎商店にコンタクトを取ってみると、なんと！　僕の活動を知っていたらしく、社長とその息子の佑基さんが蔵を案内してくれた。

上澤家はもともと東照宮の神領である日光の米を預かる庄屋として創業し、味噌や醤油などを醸造する地元の名家としての地位を築いていった。そして戦後、上澤家中興の祖である梅太郎が、最新の醸造学を導入して開発したのが、土地の伝統をベースにしたたまり漬けだった。味噌づくりで余ったたまりに漬け込むだけの素朴な製法を、奈良漬けのように何度も床を換えて味にコクを出し、付加価値の高い高級品としてアレンジし直した。この商品を「日光みそのたまり漬」として売り出したところ、観光客に大受けして県外にも知られる郷土名物となり今日に至る。この「たまり漬」、日光名産のらっきょうが最もポピュラーで、たっぷりの旨味とらっきょうの甘酸っぱさが絶妙に調和してご飯が地獄のように進む。パッケージも洒落ていて、お土産にピッタリだ。つまり上澤家は常に時流を読みながら事業を発展させてきた商家であり、その発展の前提には人の行き交う街道町としての地の利があったわけなんだね。

「今日はどこにお泊まりですか？　もしまだお決まりでなければ宿をご紹介しますよ」

蔵をまわった後に社長がそう訊ねた。今夜は東隣の茨城に移動しようと思っていたのだが、今市の街並みが素晴らしかったので、プランを変更することにした。目的の場所だけ見て、はい次！　というのは風情がない。古くからの魅力的な土地は、宿に泊まって地元の居酒屋のカウンターで常連さんと酒を飲んだり、土地ゆかりの場所を散策してみないとその歴史の蓄積を感じられなかったりする。で、実際に今市でそれをやってみたら最高だったんだよ。飲み屋の常連さんたちは日光のことが大好きで歴史や自然のことをたくさん教えてくれた。街を歩くと、日光を中心とした江戸〜北関東〜東北のエリアの地理が見えてくる。

そのなかで僕が気になったのは、今市から会津若松へと山を抜けていくルートだ。このルートは、会津西街道として江戸時代に整備され、現在では鬼怒川線・会津鉄道として下今市～会津若松間の一〇〇km余りをつないでいる。山を抜けて会津若松へと向かう鉄道ルートとは！　鉄道ファンでなくてもロマンを感じる……！

ということで急きょ旅の目的地を福島の会津若松に変え、一〇〇kmのルートを三時間かけてローカル電車で行くことに。平均時速三〇～四〇kmで進む車窓からは、初冬の風情ある山並みの絶景が見放題だ。栃木の鬼怒川沿いでは紅葉が、そして会津側に入るとちらほらと雪景色が見えてくる。中世に開かれた道は、地形を変えて直線を通す技術力を持たなかったために山間や川沿いをくねくねと蛇行していく。かったるいとも言えるが、そのぶん地形がよくわかる。そして身体レベルの速度なので「お、北国に入ったな」「会津盆地に出た！」とエリアをまたいだ感覚がよくわかる。

この章の冒頭で言った「道が教えてくれること」とはつまりこういうことだ。これ以降、僕は「かつての人が移動していたルートをなるべく通るようにする」というルールを自分に設けることにした。

朝焼けのほんの少し手前。闇のなかから少しずつ会津若松の街並みがあらわれてくる。しんと冷え切った冬の質感が街に降ってきた。宿の上階から見下ろす街は薄く雪をかぶっていた。東から昇る朝日の向こうに見えるのは磐梯山だろうか。その手前、工場から煙がゆらゆらと立ち上ってくる。ここ会津若松も今市と同じく、街そのものが数百年の歴史を語ろうとしているかのように雄弁な土地だ。江戸から北へと延びる関東の終着地であり、東北の入り口でもある。

なぜ江戸や日光と縁が深いかというと、会津藩の祖となった松平家が徳川の出身だからだ。そのため江戸時代には徳川幕府の庇護のもと発展したが、幕末には新政府軍との熾烈(しれつ)な戦いに敗れる悲運をたどることになった。このあたりは幕末の歴史好きにはおなじみだろう（白虎隊とか）。歴史ラバーゆかりの会津若松は、発酵ラバーゆかりの土地でもある。日本屈指の銘酒が集まる日本酒の街[*2]であり、そして酒のもととなる麹をつくる麹屋(こうじや)も多く残る麹スポットなのだ。

僕が会津若松で訪れたのは、これぞ街場の麹屋のお手本！　と言いたくなる風情の石橋糀店。ここでは「三五八(さごはち)」と呼ばれる麹を使った漬物の文化がある。これは塩三：米五：米麹八の割合で混ぜて漬け床をつくり、そこに主に野菜を漬けていく「麹漬け」[*3]の代表格だ。ぬか漬けや塩麹漬けより甘味や旨味の強い三五八漬けは、会津の人々のスタンダード発酵食品。日常的に手づくりされお茶請けやご飯のおともに重宝されている。ぬか漬けのように継続して手入れし続けるのではなく、何度か漬けたら床を換えてしまうので手入れも簡単。そして単なる塩麹漬けよりも深い味わい、玄人っぽい味になる。野菜はもちろん魚や肉を漬けても味がびっくりするぐらいまろやかになる。米の生産地

糀室

でかつ土地に財力があり、日光などを通して関東にも交易路がある会津ならではの贅沢な漬物だ。

しかも！　石橋糀屋さんでは、三五八の原料となる麴を麴蓋でつくっている。通常、調味料や酒用の麴は底の深い大きな箱（麴箱）、あるいはさらに大きなプール（麴床）で効率良く数百kgの麴をつくるのだが、一箱に一kg弱しか入らない薄くて小さい麴蓋で麴をつくると、コウジカビの出す熱がなかに籠もりにくく、均一にクオリティが高い、つまり美味しい麴になる。ものすごい数の麴蓋を、熱を適度に逃がせるようにジェンガのように積み替えながらつくっていくので、なかなか手間がかかる手法なのだが、一箱が軽いので女性や高齢の醸造家でも扱いやすく、小規模な家族経営の蔵では合理的でもある。

石橋さんの蔵の売店で旦那さんと談笑していると、地元の人がひっきりなしに蔵を訪れて麴を買っていく。会津若松の人にとって、三五八を買うということは、完成品の漬物ではなく漬け床のもとになる麴を買うということだ。お母さんたちはもちろん、料理好きそうなお父さんも「こないだ採れた野菜を漬けようと思ってね〜」とニコニコしながら麴を買っていく。麴の文化は職人文化であると同時に土地に根付いた手づくり文化。会津の街は麴の民主主義が今なお残っている。素晴らしい……！　と感心して石橋糀屋さんを後にしようとしたら、旦那さんがニヤッと笑って、

「ところで今夜飲みに行くところは決まってます？」

と知り合いの飲み屋を紹介してくれた。その結果は聞かずともおわかりだろう。一晩まるごと、会津若松の街と酒に優しく抱かれたよ。

＊

鉄道の次は、車での旅の身体感覚を知りたくなった。今度は僕の山梨の家から車で北の日本海を目指すのだ。向かうは富山。北陸の魚介の発酵文化の真髄を味わいにいくぞ！　と勢い込んで朝イチに出発してから二時間強、冬の洗礼を受けて途方にくれてしまった。僕のホームである甲府盆地から北陸に向かうには、まず中央道で松本まで行く。ここまでは楽ちん。そこから下道に降りて、延々と続く飛驒高山の峠道を抜けていく。そして季節は冬の真っ盛り。車道は凍結し、一面に吹きすさぶ雪で運転席からの視界は完全にホワイトアウト状態。この状態でアップダウンの激しい道を右に左に蛇行していかなければいけない。ブレーキを踏んだ瞬間にスピンして崖から落ちる……！　とギアをローにしたまま恐る恐る車を走らせること一時間ほど。緊張の糸が切れて峠の山小屋風のレトロな喫茶店で休憩することにした。

窓の外の雪景色を見ながら、一〇〇年前の旅路を想像してみる。ハードな吹雪のなか、ダウンジャケットもゴアテックスのブーツもなく、もちろんエアコンの効いた快適な車内にいられるわけもない。一面真っ白な視界のなか、たぶん笠とか被って一歩一歩進んでいく。車ですら時速二〇〜三〇㎞くらいしか出せないのだから、徒歩（あるいは馬）では一時間に一〜二㎞進むのがせいぜいなのではないか。そんな絶望のなか、向こうにうっすらと灯りが見える。看板には「温泉宿」と書いてある。ガッツポーズ。そりゃ、たくさんできちゃうよね、峠の温泉宿。なんでこんな辺鄙なところに古い温泉街があるんだろう？　もっとアクセスのいいところにつくればいいのに、と常々不思議だったが旅人の身になってみればわかる。冬の山越えは本当に大変だ。

＊

飛騨高山を無事抜けて富山の平野部に出ると、吹く風があたたかく、湿ってくるのがわかる。湾からの海風だ。神通川に沿って下ると、能登半島の付け根がえぐれたような富山湾に出る。山から何本もの河川が流れ込む、汽水域の集合体。地図で見ただけで「絶対美味しい魚とれるだろコレ！」とよだれが出そうな地形だ。富山市から西へ二〇分ほど湾沿いを行ったところに古くから栄えた港町、射水市新湊に出る。富山湾という大きな入江のなかにさらに小さい入江がつくられた、入江のマトリョーシカ構造になっている新湊漁港では、シロエビやズワイガニ、フグやブリなど「これぞ北陸！」な魚介が揚げられ、僕が訪ねた正午過ぎの時間帯にもセリが行われていた。

この射水はじめ富山湾一帯には「黒作り」という、イカスミを使った真っ黒な塩辛の文化がある。この「黒作り」の製造現場を見に、新湊漁港からほど近い「京吉」という食品加工メーカーを訪ねた。迎えてくれたのは、江戸時代からの漁業や海産物業の家業を継ぐ社長の京谷（きょうや）さん。ここでは富山湾でとれるスルメイカで黒作りを製造している。[*5]黒作りのつくりかたはこんな感じ。

・イカの胴体とワタの部分を塩漬けにして一晩寝かす
・塩漬けにした身を洗って水気を拭き取り、細切りにする
・細切りにしたイカをみりんや塩などを加えた調味液にしばらく漬ける[*6]
・イカスミを切り身とよく混ぜ合わせ、数日〜一週間熟成させる

できあがりは漆のようにツヤツヤと黒光りした塩辛。塩辛さが先にくる一般的なイカの塩辛と違い、アミノ酸が凝集されたようなマッシブな旨味がたっぷり。口に入れた瞬間に、

「ううう、美味い〜！　富山だけでしか食べられないなんてもったいない！」

と叫んでしまった。

さてこのマッシブ旨味の黒作り。由来を京谷さんに聞いてみたところ、

「江戸時代に加賀藩主導でつくったレシピとされています。郷土の名産をつくろうと思った藩が、長崎の出島に視察団を送って、そこでイカスミを使った料理に目をつけて生まれたとも言われているようで。もしかしたら大陸や地中海の食文化の影響を受けたものなのかもしれません」

えっ、それってイカスミのリゾットとかってこと？

「加賀藩は特産品をつくることに熱心だったみたいで、外からの文化を取り入れて美味いものをつくっていたみたいなんですね」

と歴史好きの京谷さん。北陸と九州ってずいぶん遠くないかしら？と思ったけれど、船で日本海の潮の流れに乗ってしまえば、案外楽に行き来できたのかもしれない。何百年も昔の話でどこまで本当かはわからないが、なかなかロマンのある話ではないか。

この黒作り、富山のふくよかで旨味のある日本酒にもよく合うし、赤ワインの酸味に

もなかなかマッチする万能の酒肴なのであった。イタリアやスペイン式のバルにも重宝されそうな感じで、これからローカル郷土食の枠を越えて広がっていくかもしれない！と思わせる逸品ですぞ。

＊

地面も空も真っ白。眩しいほどの白銀の平野に出ると、僕は車の窓を全開にして叫んだ。

「寒い！　白い！　最高！」

翌朝、射水から日本海沿いを伝って新潟方面へと車を走らせた。次の目的地は妙高。よく晴れた日本海沿いの道路をひたすら東に向かって、上越のあたりで内陸へ入ると突然の吹雪。妙高は長野県の北端、飯山に接した豪雪地帯だ。会津若松の風情のある薄雪と違い、平野も山も建物も大量の雪で覆われた、ひたすら真っ白な世界に四方八方から乾いた山風が吹き下ろされてくる。さっきまでいた、雪の気配ゼロのウェットな富山湾とは別世界だ。おそらく夏は見渡すかぎりの田んぼであろう、真っ平らな地面に引かれた、アメリカのハイウェイのようにひたすら真っ直ぐな農道を走りながら、僕は乾いた雪の世界に全身を浸したいと思った。気温はマイナス五度以下。あっという間に僕の吐く息も、フロントガラスも結露で真っ白になっていく。

妙高には「かんずり」と呼ばれるここにしかない発酵食品がある。唐辛子を雪にさらし、それをもう一度、樽に漬け込んで三年ほど発酵させた雪国ならではの発酵調味料だ。毎年大寒の日から「雪さらし」という、雪原に唐辛子を撒いていく作業が妙高の冬の風物詩になっている。僕が訪れたときも、地元の人たちが見物に来ていて、ちょっとした町祭りのようになっていた。

さてこの雪さらし。夏〜秋にかけて収穫したあと、軽く塩漬けにしてしんなりさせた手のひら大のビッグ唐辛子を、雪原の畝(うね)に人力でぽーんぽーんと投げて敷き詰めていく。と書くと単純な農作業のようなのだが、さっき書いた通りの白銀の世界で、モコモコに着ぶくれしたスタッフのお姉さんたちがカゴを持って真っ赤な物体を淡々と撒いていく様子は、おとぎの国の小人たちが執り行う儀式のように神秘的だ。

なぜこんな製法が生まれたのか？　と、妙高でかんずりを製造しているほぼ唯一のメーカー、その名も有限会社かんずりの東條社長に聞いてみたところ、

「もとはシンプルな唐辛子の塩漬けだったみたいですけど、寒い時期に家の軒先に吊るしていたところ、たまたま地面に落ちてそのまま雪に埋もれてしまったみたいなんです。

それを拾ってみたら味がまろやかになって思いがけず苦味が少なくアクがなくなっていたんですね」

つまり偶然から生まれた食文化なんだね。かんずりの製法は以下のとおり。

・夏〜秋に収穫した唐辛子を一〜二ヶ月ほど塩漬けにする
・塩漬けしてしんなりした唐辛子を数日間雪にさらす
・唐辛子を柚子（ゆず）や麹、塩と混ぜて樽に漬け、二年ほど発酵・熟成させる
・三年目の冬に漬け込んだ容器ごと蔵の外に出して冷やす
・最終的にペースト状の調味料として出荷する

書き出しただけでスゴい手間……。これだけの手間をかけてできあがるかんずりペーストは、唐辛子のピリ辛味を、まろやかさ×旨味×ほんのり甘味の護送船団方式で囲んだウルトラマジカルな調味料。柚子胡椒（こしょう）的に鍋に入れたりソバに使ったりしてもいいが、焼いた肉に載せたりしても美味しい。キッチンに常備しておけば、いつでも料理にパンチを効かすことができて便利だよ。

＊

北の日本海へと向かう旅の果ては秋田の八森。山形との県境、鳥海山を越えて秋田市をさらに海沿いに北上し、青森との県境に位置する港町だ。柔和な表情の富山湾とは違う、厳しい、ゴツゴツしたような海岸線が続く。この旅ではしょっちゅう「どこだここ？」という土地に出くわすのだが、この八森の港にもなかなかの「地の果て感」がある。グレーがかった青空に、これまたグレーに鈍く光りながらうねっていく波。全体的に寂しくて、重たい。軽快な瀬戸内海はJ-POP、しっとりした富山湾はジャズ、そして重たくて寂しい秋田の海は……演歌！

この港に来た目的は、ハタハタの水揚げの瞬間に立ち会うこと。ハタハタとは、漢字で鰰（かみのさかな）と書く、秋田県民のスピリットを象徴する魚だ。冬のある時期、突如として海に押し寄せてくるタイミングを狙ってとる、季節の訪れを告げる存在。その土地名物のローカル魚は、ハタハタのように限られた漁期にとんでもなく大量にとれるものが多い「旬のもの」。ということは、当然一度に食べきることができない。そして魚介類は放っておくとすぐに腐ってしまう。そこで保存技術＝発酵の出番になるわけだ。

八森の港の堤防では釣り竿を持った地元のおじさんおばさんが、電線に留まった雀のように立ち並んで一心不乱に釣りに励んでいる。足元のクーラーボックスを覗くとハタハタがぎっしり！　そう。八森名物「ハタハタフィーバー」が始まったのだ。港のすぐ横の作業小屋では地域のお母さん会が「しょっつる」の仕込みを始めたところだった。ハタハタ漁期の真っ最中、年に一日しかない貴重な機会に立ち会うことができた。ラッキー！

さてこのお母さんたちがつくるしょっつる。一言で言えばハタハタでつくる魚醤だ。魚醤とは、小魚やアミ（小エビなど）を大量の塩の海に沈め、塩分の浸透圧と微生物および魚自身の酵素による作用でドロドロに溶かし、上澄みの旨味のたまった液体を濾したもの。ワインなどと並び、おそらく人類の文明の黎明期に生まれたであろうプリミティブな調味料[*7]だ。穀物でつくった醤油とは違う、焼き魚のような香ばしさ、セクシーな旨味が強調される。

そして秋田のハタハタを使ってつくる珍しい魚醤、しょっつる。イワシでつくる魚醤よりもやや淡泊でなめらかな質感。そして秋田県民の味の好みを反映してめちゃしょっぱい！　昆布だしによく合いそうなテイストだ。このしょっつるは鍋に使ったり焼いたハタハタにかけたり（共食い！）する。つまり秋田のローカルピープルの基本調味料。「さしすせそ」の「し」は塩ではなく、「しょっつる」だと言っても過言ではない……！

作業小屋に入ると、異様な熱気が漂っていた。平均年齢六十歳を余裕で超えていそうなお母さんたちがハタハタを洗い、運び、計量し、容器につめて塩漬けしまくっている。全員ほぼ無言なのだが、その鋭い目つき、素早い身のこなしから「ハタハタトランス」状態に入っていることがわかる。年に一度の祭り。八森のお母さんたちは何かに取り憑かれたようにしょっつるを仕込む……！

そんな熱狂の合間に比較的テンションが穏やかなお母さんをつかまえて製法を説明してもらった。基本はハタハタを内臓や頭を取らずにまるごと洗って塩漬けにする。すると体長二〇㎝ほどの魚が、塩漬けにして半年〜一年ほどすると皮も身も内臓もきれいさっぱり消滅して、魅惑のダークブラウンの発酵液になってしまうのだ。漬けた容器の底をすくうと小骨の山があるのみ。発酵中の手入れは悪臭が出ないように月に一度ほど攪拌するだけ。じゅうぶん味が落ち着いたら濾して完成（商品として出荷する場合は火入れ[*8]して発酵を止める）。ローカル発酵の原点、微生物の偉大な力を感じさせるシンプルで素朴な発酵文化じゃありませんか。

＊

しょっつるの見学のついでに、八森の元郵便局員だったという干場（ほしば）さんのお宅にお邪魔した。知り合いを介してのアポなし訪問だったのだが、夫婦であたたかくもてなしてくれた。余談だけど、秋田の地方に行くとどこの家も立派な木造家屋。広い間口をくぐると高い天井に広い畳の間。床は無垢材のフローリングで一度この世界に住んでしまうと二度と都心には戻れない！　というお屋敷だらけ。なんで？　林業が盛んで人口密度低いから？

そんな素敵なお屋敷に住む千場家では、ハタハタを使ったいずしを手づくりしている様子を見せてもらった。このハタハタのすしは、大カテゴリーでいうとなれずしの一種。[*9]ただ滋賀のフナのなれずしと違い、お米とは別に麹も使うなかなかに手が込んだ郷土ずしだ。

・ハタハタを塩漬けにして一日おく
・塩漬けを洗って今度は酢漬けにする
・酢漬けを取り出して、麹、飯米、刻んだニンジンや生姜などと混ぜて樽に漬け込む
・そのまま二週間ほど発酵させたら、樽から取り出して麹や米ごと食べる

もうレシピを聞くだけで絶対に美味しいに決まっている！　とニヤニヤが止まらない。樽から取り出したてのハタハタのいずしを食べてみてビックリ！　なれずしにつきものの生臭さ、糠漬けがこじれたような風味がなく、ほんのり優しく甘く、旨く、品良く酸味がキマっている。エレガント……僕の知るなかでもっとも優美ななれずしだったよ！

「麹と漬け込むときにお砂糖を入れる家庭も多いんですけど、うちは隠し味にちょっとみりんを使う程度。麹の甘味を効かせてつくるのが好きなんです」

と千場夫妻が品良く笑う。このハタハタのいずしは、沿岸部の魚介の文化と、内陸の田園地帯の麹文化が見事に融合した秋田の発酵マスターピースだ。爽やかでキレのある秋田の地酒と合わせたら、そこはハタハタパラダイス……!

＊

日本海をさらに越え、北への旅の終着地点は北海道の標津(しべつ)町。北方領土の国後(くなしり)島が目と鼻の先にある、道東地域の最果てだ。妙高や八森でもじゅうぶん寒かったが、ここまで来ると異次元の寒さ。夜はマイナス二〇度以下まで冷え込んで、息をするだけで肺が凍りつき、ほんの少し風が吹くだけで耳たぶが凍りそうだ。

この標津で僕はサケの発酵文化に出会いたかった。ここは縄文時代から人間がサケ漁をしていた痕跡が残っているサケの大地であり、今でもサケは信頼の標津印ブランドのシンボルとなっている。つまりここはサケとともに生きてきた港町なのだ。

標津の土地を語るためには、まずサケの生態を語らねばならない。標津で主にとれるのはシロザケ。この魚は川で生まれ海で育ち、また川に遡上(そじょう)してきて産卵するという、海と川両方で生きる生物だ。そして標津は細い川がいくつも海に流れ込んでいる。つまり秋の産卵の季節になるとサケが帰ってくる土地ということ。縄文時代を想像してみるとだな。普段は狩猟採集で移動生活を送っている縄文人たちが秋になると一斉にここ標津に集まってくる。そして川辺にはりついて、大挙して川を上り産卵を終えたサケを片っ端からとりまくる。そして冬に備えるための貴重なタンパク源としたのだろう。それでね。短期間に大量にとれる魚といえば、必然的に「どのように保存するか問題」がついてまわるわけでしょ。そこにはきっと北海道らしい発酵技術があるはず……！　と、道東の友人T君とリサーチするなかで見つけたのが「山漬け」というサケの加工品の文化だ。

向かったのは標津の漁業協同組合。人口五〇〇〇人ほどの小さな町には不釣り合いなほど巨大な倉庫が立ち並ぶスケールの大きい港にある。ここで山漬けの製造現場を見せてもらった。

・サケのエラと内臓を取り除き、よく洗って水切りをする
・サケの表面と切り開いた腹のなかによく塩を揉み込む
・塩漬けにしたサケを何段も重ねて箱に仕込み、その上からさらに重しを載せる
・数日から十日ほど重しと塩で水分を抜きながら味を熟成させる

・塩を洗ってサケの身を吊るして乾燥させてできあがり

山漬けの伝統的な製法はこのとおり（つくる漁師やメーカーによって多少バリエーションがある）。サケを山のように重ねて漬け込んでいくので「山漬け」という名前になったようだ。サケの生臭さが消え、風味がギュッと濃縮されて身もギュッとしまって食材としてのグレードが上がる。できあがった山漬けは、胴体を輪切りにして食べる。現在では焼いて食べることが多いようだが、昔はハムのように削いで、生でかじっていたようなのである。

「昔って、いつごろのこと？」

それがはっきりしない。なぜならこの山漬けの歴史、どうも江戸時代、アイヌと和人が出会った頃に遡るもののようだ。

＊

山漬けの起源を調べに標津町の歴史民俗資料館を訪ねた。そこに興味深い屏風絵が展示されていた。江戸後期の光景だろう。標津川に上ってくるサケを、アイヌとおぼしき民族衣装を着た人々と和服を着た人々が協力してとっている。木造のお屋敷前の広場で和人とアイヌが和気あいあいと働いている。そして屋敷のなかでは、なんと！　サケが山積みされ、山漬けが漬け込まれているではないか！

「ここ標津は、明治政府による本格的な開拓が始まる前の黎明期にアイヌと和人が接触した要所のひとつでした」

と、学芸員の小野さんがていねいに解説をしてくれたところによるとだな……。

一八世紀の終わりごろ、松前藩管轄下[*10]の商人が標津に漁場を開き、アイヌの人々を奴隷のように酷使していた。その圧政に耐えかねて、「クナシリ・メナシの戦い」と呼ばれるアイヌの反乱が起こる。これが標津の近代化の始まり。その後、アイヌの人々は微妙な立場に置かれることになる。なぜなら標津と北方領土は南下してくるロシアを牽制(けんせい)するための国防のフロントラインになったから。

で。対ロシア関係を考えると、すでに彼らと交易していたアイヌの人々を無下にするわけにはいかなくなり、幕府はアイヌの和風化政策を始めた。これが江戸末期のこと。そして非道な松前藩の代わりに標津を監督することになったのが会津藩だった……って、なんてことだ！　ここで福島会津若松と道東標津がつながってしまった。

さて。ここから話はますます面白くなる。和風化政策で送り込まれた会津藩士、南摩(なんま)

綱紀（つなのり）は最初、

「こりゃあ参った。幕末の動乱で藩の存亡の危機だというのに、こんな北の辺境に左遷されてしまうとは……」

とテンション最低だったらしいのだが、標津の豊富な海産資源、そしてアイヌの人々の自然への接し方、ものの考え方を知って、

「あれ、もしかしたら標津ってめちゃいいとこだし、アイヌの人たちって、思っていたのと違うぞ……？」

と考えを改め、会津藩の再起をここ標津に期待するようなことまで考えていたようだ。

一応和風化政策の名目で遣わされてきたものの、実際のところ南摩綱紀はアイヌの人々の文化や世界観にかなり共感していたようだ。[*11] その会津藩統治時代の、和人とアイヌが悪からぬ関係だった刹那（せつな）のゴールデンタイムがこの屏風絵に描かれていたんだね。

幕末維新、弱体化していた幕府の側につかざるを得なかった会津藩は没落し、和人とアイヌの蜜月時代は終わりを告げた。もしその関係が続いていたら？　北海道の、アイヌの歴史はまた違う道を辿っていたのかもしれない。

日光から会津へ入り、日本海を北上して道東の標津に至る旅路は不思議な縁でつながっていた。

山漬けは、おそらくアイヌの人々がもともとつくっていたサケの干物と、和人が持ち込んだ塩の文化が合体してできたものなのだろう。当時農耕がほとんど行われていなかった道東の地では、ビタミン不足が問題になるはずだ。生で魚肉を美味しく食べることもできる山漬けはビタミンを摂取するために役立ったのかもしれない（アイヌの人々には豊かな薬草文化があったので、どちらかというと和人の脚気対策[*12]だったのかも）。

なお、魚の生食は加熱によるビタミンの損傷を防げるという利点があるが、反面、寄生虫や病原菌による食中毒のリスクもある。内臓を取り去り、かつ高濃度の塩と発酵作用を付加した山漬けは栄養や旨味を増進させ、食中毒のリスクも減らす、よくできた知恵であると僕には思える。

ちなみに。取り去った内臓のなかから腎臓を塩漬けにして熟成したものを「めふん」と言う。珍味好きには知られたどす黒い塩辛だ。そして胃の内容物を取り去って刻んだものを塩で漬け込んだのを「ちゅう」と言う。ホルモン塩辛のような味わいの珍味で悪くない。さらに。筋子も塩漬けにする。プリプリになって美味しくなるんだね。漁業協同組合で聞いてビックリしたのだが、この筋子の塩漬けも乳酸発酵しているようだ。標津のサケはまるごと発酵している！

＊

標津の中心から車で一〇分ほど。国後島のほうへかぎ針のように突き出した野付（のつけ）半島を歩いた。湾が全面凍結して、延々と銀色の砂漠が広がっている。どこが地平線なのかわからなくなるような上も下も真っ白な、透明な世界。

かつて、何千年も前からここに生きていた民族がいた。二〇〇年前、この銀白の土地の恵みを目指してやってきた民族がいた。そして目の前に見える海のすぐ向こう側にも、雪と氷とサケとともに生きた民族がいた。彼らはどこへ行ったのだろう？
銀色の砂漠の彼方に、エゾシカの群れが走っていくのが見える。遠くから、外海できしむ流氷の音がかすかに聞こえた。

＊1　徳川家康が日光山に改葬された後、京都の朝廷から毎年、日光東照宮へ勅使がつかわされ、その勅使が通る街道は、西国大名の参詣道ともなって賑わいをみせた。

＊2　「全国新酒鑑評会」のような品評会でも会津の蔵が続々と名を連ねている。

＊3　漬けるといってもぬか床のように樽に仕込むのではなく、密閉袋などに少量の床と食材を漬ける簡易な方法。

＊4　底の浅い木箱。伝統的な麹づくりに欠かせない道具。

＊5　富山名物のホタルイカで黒作りをつくるメーカーも。
＊6　このレシピの工夫に各メーカーや家庭のこだわりが反映される。
＊7　東南アジアでは超定番で、ベトナムのニョクマム、タイのナンプラーがおなじみ。主にカタクチイワシを塩漬けにしてドロドロに溶かしていく。ちなみにイタリアのアンチョビも原理は同じく塩漬けにしたカタクチイワシ。こちらは上澄み液ではなく身のほうを食べる。
＊8　加熱処理をすることで、微生物と酵素の働きをとめて、品質の変化をふせぐ。
＊9　東北〜北陸一帯でつくられるなれずしのカテゴリー。塩と米と魚だけで漬ける西のなれずしと違い、麹や野菜を入れて漬けることも多い。
＊10　江戸時代、蝦夷地一円を領有して交易圏を独占。近江商人との関わりについてはコラム（↓P.126）を参照。
＊11　詳細は『知られざる幕末会津藩』（歴史春秋出版）の小林修による解説をご一読あれ。南摩が標津におもむく前後の漢詩を比較するとテンションの変化が読みとれ、南摩の論考「文明ノ説」にはアイヌへの理解と共感が記されている。
＊12　ビタミン欠乏症。二〇世紀になって原因がわかるまで、国民病と呼ばれるほど日本の人々を悩ませ、船乗りなどがよく命を落とした。ビタミン大事やで！

Column 5

北前船から見る近世の海運事情

発酵文化を追いかけていると、あちこちで「北前船」というキーワードを耳にします。発酵はローカルであると同時に価値を生む貿易品でもありました。尾道の酢（第三章）で触れた中世から近世にかけての日本の海運事情を見てみましょう。

日本海の北端から瀬戸内海をつなぐ西廻り航路

北前船は「西廻り航路」とも呼ばれ、東北から北陸を通って下関あたりから瀬戸内海に入り、広島を通って大阪まで至る、日本の西側をグルッとまわる航路。中世の日本の流通を支えました。

尾道の場合は、秋田から米を運んで酢に加工し、逆廻りで日本海側に売りさばくルートでした。長崎の出島に輸入された絹糸を大阪へ運び、帰りのルートにアワビなどの高級加工食材を輸出用に運ぶ国際ルートも存在していたようです。ポイントは寄港地で商品を荷替えしたこと。あるモノを一方的に運ぶだけではなく、荷降ろしで空いた場所に

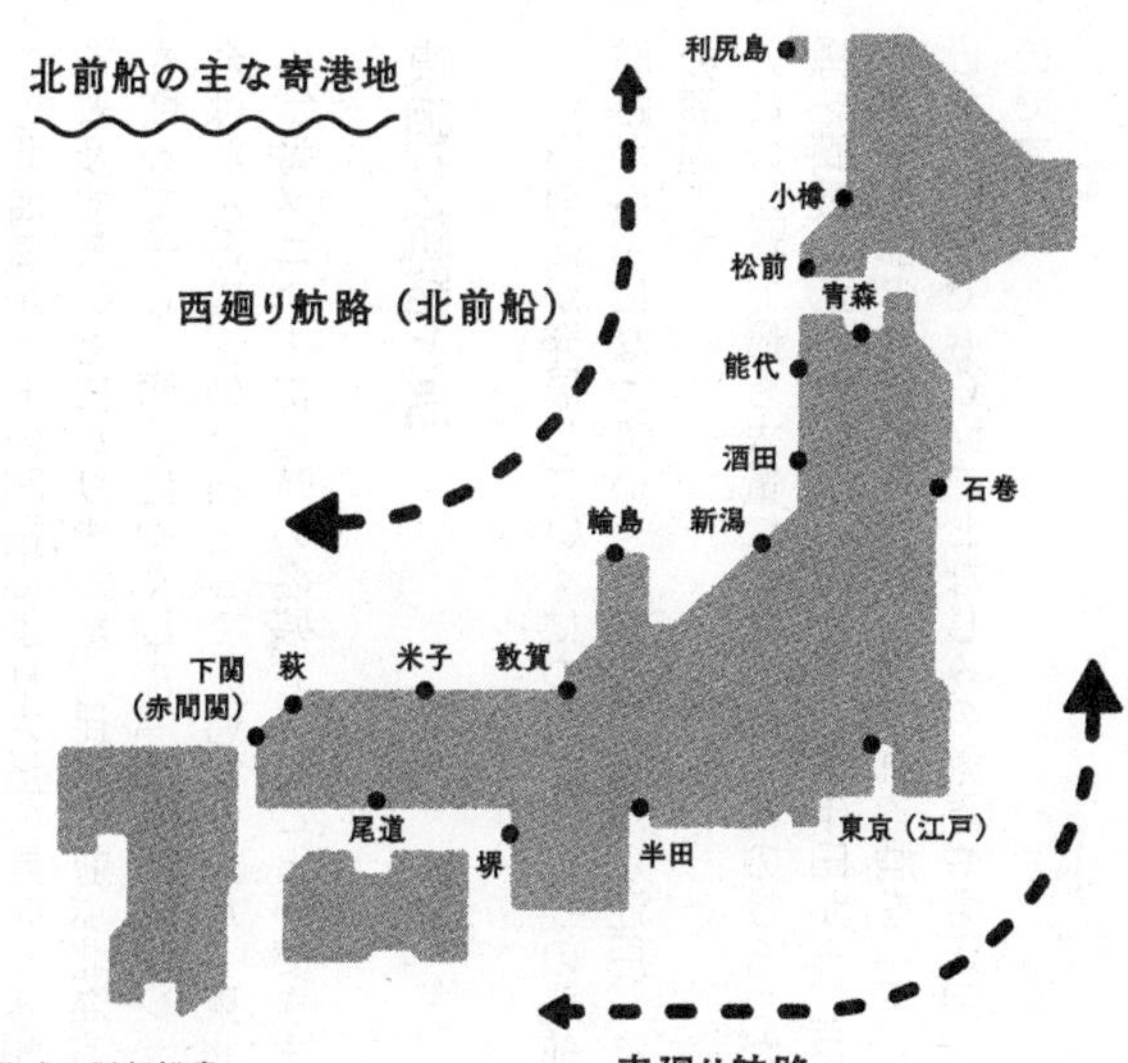

その土地の名産品を仕入れて載せ、さらなるビジネスチャンスを狙う……！　という、海の商人が才覚を競うジャパニーズドリームの舞台になっていたのでした。

北海道開拓と松前藩

蝦夷地開拓が進んだ江戸の中期以降、北海道までルートが拡張されました。ここから北前船の文化のさらなるブレイクがやってきます。活躍したのは滋賀の近江商人。北海道最南端の松前に貿易拠点をつくり、北海道名産の昆布やニシンなどを積み、本州へ送って大儲けしたのです。このときに近江商人たちの北海道支店である松前藩が標津のニシンに目をつけ、アイヌの人々を奴隷のようにこき使ったわけなんですね。

この北海道ルートの開拓により大量の昆布が本州に送られ、だしの文化が庶民にまで広く普及することになりました。昆布と並ぶ北海道ルートのシンボルはニシン。頭と内臓を取って干し、腐りにくくした「身欠きニシン」は安価な庶民の食材。大量にとれた場合はなんと堆肥(たいひ)の材料として流通しました。東北のニシンそばや、北陸の大根ずしなどの定番メニューに当時の名残を見ることができます。

東廻り航路と酒

江戸の街が発展していくにつれ、西廻りの北前船ではなく、太平洋側をつなぐ東廻り航路が盛んになっていきます。津軽から江戸、そして大阪と江戸をつなぐ「江戸中心」の海運です。

この航路で最も大量に運ばれたもののひとつが日本酒で、樽廻船と呼ばれる巨大な酒樽を満載した船が大阪の堺や愛知の半田から江戸へ向かっていきました。とりわけ兵庫の灘(なだ)や京都の伏見から江戸へ運ばれる酒を「下り酒」と言い、高級酒の代名詞となりました。現在でもCMでおなじみの剣菱(けんびし)や菊正宗、月桂冠などはこの「下り酒」の系譜なのですね。

第六章　ご当地スタンダードの発酵おやつ　関東の旅

広島の街に行ったときのこと。スタジアムで野球の試合があるらしく、街中にあふれる赤いベースボールシャツや帽子を身に着けたカープファン。車道にはこれまた赤いマツダの車がいっぱい。全体的に街が真っ赤に熱狂している！　こんなふうに地元の球団や車のメーカーが愛されているのか……と実感した瞬間だった。

日本各地に「ご当地スタンダード」がある。その土地の老若男女に愛され、それがなければ日々の暮らしが味気なくなってしまう。親の代から受け継がれたローカルミーム。[*1]年末からお正月にかけて、僕は発酵における「ご当地スタンダード」を知りたくて、関東を訪ねて回った。

群馬県民のオールタイム・ベストな食べ物といえば、まんじゅう。フッカフカの蒸したてのまんじゅう、あるいは味噌だれを塗ってこんがり焼いたあんなしのまんじゅうを頬張るのが群馬の善男善女のお楽しみだ。

「えっ、群馬のまんじゅうって発酵食品なの？」

そうなんだよ。このまんじゅう文化のオリジナルレシピを辿ると、甘酒でつくった酒まんじゅうにいき着く。この発酵まんじゅうを食べたくて僕は群馬にやってきたのさ。
まず向かったのがプレーンまんじゅうを製造している角田製菓。高崎の前橋との市境にある、上品な佇まいのまんじゅう屋さん。「ごめんくださーい」と店に入ると、まんじゅうを蒸すいい匂いが漂っている。

「すいません、今ちょうど蒸している最中で……ちょっとお待ちくださいね」

と店先に立つ角田秀治さんが申し訳なさそうに言う（こちらこそ突然訪ねて申し訳ないです）。さっそく店舗の裏の製造現場を見せてもらうと、小さな工場を軽く見回しただけで何をやっているかすべてわかってしまうような手づくり感に溢れていた。角田さんのところでは、昔からつくられてきたオリジナルのレシピにこだわっている。甘酒状の酒種をブクブク発酵させたものを、小麦粉と混ぜてパン種のように膨らませ、それを焼く（Bake）、ではなく蒸す（Steam）。そうするとこんがりパリパリの洋風パンとは違う、フワッフワでモッチモチでフッカフカの魅惑のホワイトなブツができあがる。それが群馬のご当地スタンダードまんじゅうなのだ。無添加のため、この魅惑のテクスチャーは時間とともに固くゴワゴワになってしまう。角田製菓では、フラッと入ってきたお客さんが店内のテーブルに座ってお茶を飲みながらまんじゅうが蒸し上がるのを待つ。

僕がお店を見せてもらっているあいだにも入れ替わり立ち替わり地元のファンがまんじゅうを待っていた。
できたてのまんじゅうを受け取る嬉しさよ……！

次に訪ねたのが、高崎のお隣、前橋の原嶋屋総本家。前橋の民の心のふるさと、創業一六〇年を超える群馬オリジナル「焼きまんじゅう」の老舗だ。時代劇に出てくるお茶屋のような雰囲気の店内には、囲炉裏のあるこれまたレトロな待合室。そして待合室のすぐ目の前では焼きまんじゅうがリアルタイムでこんがりと焼かれていく様子を見ることができる。

「いったい焼きまんじゅうとは何か。一四〇文字[*2]以内で説明せよ」

酒まんじゅうの応用編。まんじゅうに味噌ダレを塗り、焼き鳥のようにこんがり焼き上げた群馬を代表するソウルフード。基本はおやつなのだが、かなりボリュームがあるために昼ごはんや間食としてもいける。外はパリパリで中はフワッフワで甘辛い。できたてアツアツのものをお茶とあわせて頬張ると最高！（一四〇文字）

五代目当主の原嶋さんにその起源を聞いてみたところ、もとは縁日などのお祭りの屋台で売っていたストリートフードだったらしい。それが明治以降に、忙しい労働者が手早く食べられるファストフードとして人気を博し、現代まで続く定番になったようなんだね。その証拠に、原嶋屋総本家の待合室はまんじゅうの焼き上がりを待つ人で大混雑！　年配のお母さんばかりかと思いきや、スーツ姿のおじさんや若いお母さん、子どもたちまで全世代対応の最強のご当地スタンダードだこれ！

　まんじゅう文化は地元の人に愛されている。僕にとって印象的だったのは、できあがりを待つ人たちの表情だ。みんなイライラすることなく、嬉しそうにまんじゅうを待っている。すぐに固くなってしまうからこそ、つくる場所に集まって一番美味しいタイミングを待ち望む。この「待つ」という行為がまんじゅうをより一層美味しくさせる。いつでもどこでもすぐに手に入るものではなく、しかるべき場所に自ら赴（おもむ）いて、待つ。その間に、お茶を飲んでなごんだり、友人や家族とおしゃべりしたり、ぼんやりと考えごとをしたり。できたてのまんじゅうには、日常の何気ない時間の味わいがたっぷり染み込んでいる。

　では発酵おやつの話をもうひとつ。

　神奈川県川崎大師の参道に、特異なくずもちの文化がある。くずもちといえば、奈良の吉野葛（くず）の粉を使ってつくる、関西のお菓子の定番。ところがこの川崎大師のくずもちは、葛粉を使わない。そのかわりに何を使うかというと、発酵させた小麦粉のデンプンを使う。

正月を迎える参道は、赤や緑や黄色のカラフルなのれんや旗で飾り付けられて活気づいている。売店で甘酒を売っているおばちゃんに謎の発酵くずもちの聞き込みをしてみた。

「昔からここでは小麦粉でくずもちをつくるのよねえ。ちょっと前までは今よりたくさんお店があったのよ。かくいう私の店でも昔はくずもちをつくってお参りする人に売っていたわ。ところでアナタ、若いのに甘酒好きなんて変わってるわねぇ」

そんなことないよ。当世、甘酒好きなモダンボーイもいっぱいいるのですぞ。

参道を歩いていると、マンションの一階を店舗にした、こぢんまりしたくずもち屋さんを見かけた。軒先でキョロキョロしていると、女将さんが出迎えてくれた。

「あら、山梨から。遠いところからはるばるようこそ。ちょっとお兄ちゃん！」

工場から優しそうな店の主人が出てきて発酵くずもちの現場を見せてもらえることになった。店舗の脇からマンションの共用部に入る。すると、階段横に積まれたポリバケ

ツからなんとも言えない臭いが漂っているではないか……！

「ここで小麦粉のデンプンを水に晒しているんです」

ポリバケツのフタをあけると、白濁した水の奥にデンプンの澱(おり)がうっすら見える。

そ・し・て！　ニ・オ・イ・が!!

なんだこの強烈に酸っぱいようなツンと来るストロングスメル。手にとって一口舐めてみると、めちゃ酸っぱい！　あれ、この感じ僕知ってるぞ？　そうだ、奈良の日本酒の伝統技法、米のとぎ汁を乳酸発酵させる「そやし水[*3]」と呼ばれる酒の酛のニオイだ。デンプンに野生の乳酸菌がついたときの独特の香り、まさか川崎大師のお菓子屋さんで嗅ぐことになるとは……。これ、どれくらいの期間発酵させるんですか？

「そうですねぇ。長いときは一年くらいですかね」

えええっ、そんなに長いの？　思ったよりもハードコアに発酵しているぞ、このくずもち！

小麦粉を水にさらし、長期間発酵するうちに分離してきたデンプンの澱を取り出す。強烈な発酵臭と酸味を取り除くために澱を何度も水洗いしていくうちに、しっとりした白いペーストになる。このペーストを蒸すと、プルプルのお餅になる。そこに黒蜜ときな粉のゴールデンコンビをかけてできあがり。発酵中のストロングスメルは消えて、ほのかな酸味の薫るモチモチ、プルプルな食味。はあぁ、なんと幸せな味なことよ！

このくずもち、ご主人にその起源を聞いてみたところ、江戸時代に水害があり、そこで備蓄していた小麦粉が浸水してしまうというアクシデントがあったそうな。しばらく水浸しになった小麦粉からデンプンが分離し、おお、これでお餅がつくれるではないか……！　という言い伝えがあるそうだ。謎すぎる起源だが、関西の葛餅とはまた違うルーツを持つお菓子であることは間違いないようだ。


さてこの川崎大師の発酵くずもち。群馬のまんじゅうと同じく、時間の経過とともにすぐ固くなってしまう。

「できればその日のうちに食べてくださいね」

と妹さん。お話の最後にご兄妹と姪っこさんの三人で記念写真を撮らせてもらった。素朴で白くて品が良くて、美味しいくずもちが家族になったみたいだ。

お菓子にはその土地に生きる人の息遣い、日常の喜びがたっぷりまぶされている。食べないと死んでしまうわけではない間食だからこそ、その土地の「お楽しみ」が刻印される。生存に必須ではないが、ないと生きている気がしないものを「文化」というのではないだろうか。

最初は食べ物を腐らせないため、少ない食材で栄養を補うためのサバイバル術として出発した加工技術が発展し、やがて焼きまんじゅうやくずもちのように、日々の楽しみとしてのレシピに昇華されていく。生きる工夫が楽しむ工夫になり、楽しみを求めて集まるコミュニティが文化の母体となる。まんじゅうが焼き上がるあいだに待つ場所と時間は、まんじゅう本体と同じくらい大事なものだ。強い目的意識から離れた場所で、気づけばコミュニティが生まれている。ここで過ごした良い時間の思い出が、土地を離れた者を故郷に引き戻す郷愁になるのかもしれない。

たかがお菓子、されどお菓子。お菓子はコミュニティの絆を結ぶうれしい文化なのだ。

＊1　生物学者のリチャード・ドーキンスが文化の遺伝子として提唱した概念。土地ごとに受け継がれてきた、その地域らしさには無意識のものも含まれている。
＊2　SNSサービス Twitter のテンプレートの文字数。
＊3　生米を浸けた水を乳酸発酵させて酸っぱくすることで腐敗しにくくなった仕込み水。

Column 6
発酵が景観をつくる

僕の住む山梨の峡東(きょうとう)地区と呼ばれる丘陵地は、ワイン醸造とブドウ栽培で昔から知られた土地。初夏から秋にかけてここを訪れた人はその景観に感動するはず。丘一面のブドウ畑、そこに古い寺やワイナリーが点在しているユニークな景観は、山梨に根付いたワイン醸造がもたらしたもの。

ワインの原料であるブドウは、長期間備蓄できず、傷みやすいので遠くに運ぶことも難しい。そこでワイナリーは原則ブドウ畑のすぐとなりに建てなければいけない。しかも醸造プロセスがシンプルなのでブドウの質とワインの質がほぼイコールになります。したがってほとんどのワイナリーは自社でブドウ栽培も手がけることになります。ということは、ワイナリーはその土地のブドウ栽培の守護者と言えるんですね。

ワインにおける、土地との強い結びつきから生まれる「テロワール」へのリスペクトは、日本の伝統的な発酵文化にも根付いています。小豆島(しょうどしま)の醤油文化がつくりだした巨大木桶の景色や、京都伏見の運河と酒蔵が織りなす雅な街並みなど、その土地の醸造プロダクトが生み出した見事な景観を各地で見ることができます。

さらに。最近では醸造文化がその土地の農業の未来を担うようになってきています。日本酒を例に挙げてみましょう。日本酒の原料である米はブドウと違って備蓄がきくのでわざわざ地元のものを使う必要がなかったのですが、醸造技術の発達によって「誰でも良い原料を選んで八〇点の酒をつくれる」というコモディティ化が進行し、一〇〇点を目指すのではなく他とは違う味のモノサシをつくるぞ！という流れが起こりました。そして蔵のある地元で、しかも由緒ある品種の米で酒を醸すぞ！というテロワールの尊重が始まるわけです。

質の良い米をつくるために地元の農家と一緒になって技術改良をしたり、若い農家を誘致するために知恵をしぼったりする。結果としてその土地の稲作の持続可能性が担保されるようになりました。

発酵文化は美味しいものだけではなくて、コミュニティをつくり、美しい景観をつくり、人を呼び寄せるというポジティブスパイラルをつくるんですね。

第七章　発酵から見た経済史　日本の近代化を見直す旅

どうやら発酵というものは、文明開化前の江戸時代から日本に巨大な資本蓄積をもたらしたらしい。海路を使った都市間の大規模取引、商品の大量生産のための資本のプール、そしてプールした資本を運用するためのお金の貸し付け（第一章の八丁味噌のエピソードを思い出してほしい）。まるで海路開拓とともに近代資本主義を発展させていった大英帝国のようだ。

産業の巨大化の最たるものは日本酒だ。室町時代までは神社仏閣での神事用の酒造り、あるいは家庭レベルでの小規模などぶろくの手づくりだった酒造りが、戦乱が終わり平和になった江戸時代に急速に発展した。その中心となったのが、兵庫の灘地区だ。現代まで続く日本酒醸造の方法論を確立し、手づくりのものとは異なる、一定した品質の酒を組織的に生産することに成功した。これが江戸初期から中期、一七〜一八世紀のこと。スーパーやコンビニでおなじみの剣菱や菊正宗の創業は、三五〇〜五〇〇年前まで遡る。

「あれっ？　江戸時代の中心って、関西じゃなくて江戸だよね？」

そのとおり。酒造りは江戸時代以前から関西で発展した。その後、江戸に幕府が開かれ、中世において世界最高の人口密度を誇る江戸の街が生まれた。このときに「生産地と消費地の分離」が起こったんだね。関西で酒をつくり、江戸で消費する。この関西↕江戸の関係性が、東廻り航路と呼ばれる太平洋側の海運を超発達させた。実は関西の酒造りの拠点はもともと奈良の寺社、次に大阪の淀川沿いの摂津（大阪の漬物ツアーで訪れたあたりだ！）や池田、堺のあたりだった。しかし巨大な消費地である江戸ができたことで、より海運に有利な兵庫の灘が日本酒生産の拠点に選ばれた。[*1]ここからとんでもない量の酒を江戸に運んでいく。最盛期の江戸後期、灘地区だけで年間五〇万石、つまり一升瓶五〇〇〇万本、約一億リッター近い日本酒を製造していた。ちなみに二〇一〇年代の酒の生産量は日本全国でだいたい三〇〇万石前後。江戸時代の人口が今の四分の一だったことを考えると驚異的な量……！

想像してほしい。毎日港から日本酒の樽や瓶を満載した船が江戸へ向かう。現代と違って難破のリスクもあるだろう。モダンな科学技術や設備もないので、酒が腐ってしまうリスクもあったはずだ。しかしそれを補ってあまりある利益が出たのだ。日本酒づくりはめちゃ儲かるぅ！

高利益を生むことができる日本酒醸造は、やがて灘の独占物ではなくなっていく。今で言うITベンチャーのように、全国各地でどんどん新興の蔵がスタートアップしていく。明治に入ると酒造免許取得のハードルが下がり、冗談みたいな数のメーカーが林立する。統計を見てみると、明治一〇年頃には二万七〇〇〇蔵のメーカーがあったそうだけど、それホント？ 明治から大正にかけて、日本酒産業はさらにその規模が大きくなった。そこには政治的な理由があった。まず西洋からの最新の微生物学の導入だ。これまでよくわからなかった微生物の働きが解明されはじめ、腐りにくい醸造法が政府主導で開発された。[*2]

「なんで政府がそんなことするの？」

鋭いね。当時随一の巨大産業だった日本酒は、国の重要な税源になったのさ。つまり酒税が国家の主要な収入のひとつになった。腐ると税をかけられないから、国策で新技術を開発する。このときに開発された、科学的な物質を添加してつくる醸造法や、安定して発酵する微生物の開発などは、今日の酒造りのベースとなっている。[*3]こうして酒造りの質がボトムアップされると、さらにみんな酒を飲むようになる。そして税収が上がる。このスパイラルは富国強兵の施策を支えた。明治期の日露戦争、あるいは昭和の太平洋戦争開戦の頃には、日本酒は国威発揚、好戦ムードを盛り上げるために使われた。その証拠に、この頃のおちょこや徳利には戦旗や日の丸が入ったものがたくさんある。酒税は軍需に使われ、酒は戦地へ赴く兵士たちを鼓舞するために使われた。

そして第二次世界大戦末期、蔵人を担う成人男子がいなくなり、原料の米が尽き、日本酒業界は崩壊していくことになる。終戦直後、酒蔵の数はピーク時の一〇分の一、およそ三〇〇〇蔵になっていた。

酒は日本人を富国強兵の夢に酔わせ、その夢はやがて色褪(いろあ)せていった。

＊

一月の終わり、淡路島。夜明け前の朝五時に、僕は寝不足の目をこすりながら都美人酒造の蔵に入った。日本酒づくりの仕事を体験させてもらいにきたのだ。ここ都美人酒造は、江戸時代から現代まで兵庫の日本酒づくりの変遷をタフに生き抜いてきたローカル蔵だ。淡路島のやや南西、南あわじ市に位置する都美人は、昭和二〇年に淡路島南部の一〇の日本酒蔵が合併して創業した。つまり、戦争末期の苦しい時代を生き延びるために小さなメーカーが集まってできた蔵だ。敷地は広大で、巨大な倉庫や精米所、貯蔵庫などが立ち並んでいる。昭和の終わりに一万石以上の生産量があった頃の名残だが、施設の大部分は現在使われていない。ここ数年の生産量はピーク時から大きく減って五〇〇〜六〇〇〇石程度だ。ちなみに日本酒の生産量のピークは昭和四八年、およそ一〇〇〇万石だったものが今は四分の一になっている。都美人は高度経済成長期に大きな設備投資をして大衆酒を大量生産し、それを灘の大手酒蔵に卸すこと（桶売りといって、酒のOEM製造のこと）で経営を成り立たせていた。しかし平成に入ってから日本酒業界全体が沈没し、桶売りの需要は激減。下請けの中小メーカーは危機に陥った。ここで廃業する酒蔵が続出したが、都美人は踏ん張った。大衆酒の大量生産方式を見直し、個性的な高級酒の少量生産をメインに切り替えたのだ。

僕が一日限定で弟子入りしたのが、都美人の杜氏[*4]の山内さん。石川の能登からやってきた、四〇歳そこそこの若い棟梁だ。しかも童顔で肌ツルツルなので、僕と同い年かもっと年下のようにも見える。この山内さんの後ろを朝から晩までウロウロついてまわったんだね。

都美人は創業八〇年弱の若い酒蔵だが、蔵の施設のいくつかは合併元の古い酒蔵を移築してきたものらしく、かなり風格がある。ものすごく高い天井の、ガランとした空間。そこにタンクや米の蒸し器、酒を搾る設備などが並んでいる。酒造りは、ワインやビールよりも醸造過程が複雑なため、たくさんの設備が必要になる。したがって敷地のキャパシティいっぱいに製造機材を詰め込むことになるのだが、都美人はピーク時の一〇分の一以下しか酒をつくっていないので、とにかく空間がゆったりしている。人気のない暗がりを歩いていると、失われた古代の神殿を歩いている気分になる。

「一二年前に社長から呼ばれて、能登から淡路島にやってきました。まずやったのは、以前使っていた大量生産用の設備を使うのをやめ、手づくりの方法に戻していくことでした」

と山内さんはニコニコしながら言う。でもこのシフトチェンジ、屈託なく笑いながらできるほど簡単なことじゃない。製麴機（せいぎくき）と呼ばれる、自動的に麴をつくってくれる機械のかわりに、人の手をかけて麴をつくる部屋（麴室）を自分で設計して地元の大工さんとつくった。一種類の酒を巨大なタンクでいっぺんに仕込むのをやめ、様々なバリエーションの酒をタンクを小分けにして丁寧に管理するようにした。そうやってつくった酒は、大手に納めるのではなく、自身のブランドのラベルをつけて熱心なファンに売るようにした。

高度経済成長の時代は、大きくすること、均質化することが正解だった。しかし経済の成熟を迎え、人口が増加から減少に切り替わった現代では、いったんダウンサイジングして売上の「規模」ではなく、利益の「価値」を大事にしていくことに未来がある。むやみに成長を求めるのではなく、まず原点を見つめ直す。

「僕は、日本酒の王道を行きたいんです。長いあいだ蓄積されてきたうまい日本酒づくりを体現するような酒をつくりたい」

とニコニコしながら、かつ瞳に静かに炎をともす山内さん。

実はだな。僕が昔から仲良くしている日本酒蔵はどちらかというと従来の伝統に囚われない個性派が多かった。しかし山内さんに出会って、王道の日本酒の素晴らしさに開眼することになった。

＊

それではここから都美人の酒造りにちょっと深入りしていこう。日本酒好き向けの話なのでそうじゃない人は飛ばしてOK。

王道を目指す山内さんの酒造りの特徴は、

・どんなグレードの酒も定番の麹菌と酵母を使って醸す
・超絶テクの山廃酛（やまはいもと）[*5]で独特の飲み口と酸味をつくる
・泡あり酵母を使って味を濃くする

この三つが僕にはとっても面白かった。順に説明していこう。

二〇一〇年代以降の最新トレンドでは、吟醸酒[*6]などの醸造には高級酒に特化した微生物を使うのが一般的なのだが、山内さんはあえてそれをしない。何十年も標準で使われてきた定番を使う。そして山廃酛。これは山内さんのルーツである能登杜氏[*7]の必殺テクニックだ。蔵に棲み着いている乳酸菌が自然に入るのを待って酒母をつくっていくわけだが、ポイントは暖気と呼ばれる、酒母のタンク内の温度をコントロールする鉄製のヤカンのような器具の使い方だ。お湯を入れた暖気をタンク内でまわして微妙に温度の緩急をつけ、菌をちょうどよく働かせていく。このスキルを使いこなせると、生酛ほど重たくない、でもしっかり余韻の残る独特の酸味を生み出すことができる。

そして一番驚いたのが酵母の泡だ。酵母は活発に発酵するときに泡を出すのだが、この泡の量が少ない「泡なし酵母」[*8]が今日における酒造りのスタンダードになっている。しかしこれは品種改良された酵母で、元々の日本酒酵母は大量の泡をつくる。大量の泡が盛り上がると、タンクに仕込める酒の量が減ってしまうのでこの「泡あり酵母」を使う蔵は少数派だ。しかし泡あり酵母を使うと酒の味、つまりボディがしっかりしてくる。スタンダードな味でありながら、酸味が効いて、かつ比較的ボディがしっかりしている。旨味のつまったミドルボディの酒は、キリッと冷やしても燗にしても美味しい。これが山内さんの目指す日本酒の王道。そして日本酒大国、兵庫に暮らす庶民が好んだ酒の味だ。

「ウチは一番安価な普通酒[*9]でも山廃酛でつくっています。都美人は昔から地元の人に愛されているお酒。淡路島は都会の灘や三宮と違って、漁師や農家が多いでしょう。都美人の切れの良い酸とボディは、肉体労働の後に飲む酒として最高なんですよ」

蔵仕事が終わり、慣れない肉体労働でヘトヘトになった夕方。山内さんのお酌で、外でキンキンに冷やした山廃の純米酒を飲んだ。飲んだといっても、クピッとではない、ビールのようにゴクゴク飲んだ。口のなかにすっと馴染んでいく喉越しの良さ。しかし疲れた身体が求めている甘味や酸味がバッチリ効いて、喉の渇きをいやしながら、同時に酒を飲んだぞ！　という充実した余韻もある。

「うめーッ！」

と思わず叫んだ。ここは天国だ！

蔵人たちとワイワイ飲みはじめ、しばらくすると冷酒から燗に切り替わる。極めつけは山廃普通酒の燗酒。地元の農家や漁師が愛した地酒フィーリングが半端ない。インパクトがあり、同時に飲み飽きしない。地元の酒好きに寄り添いながら、何も犠牲にしない、美味しいとこ全部取りの都美人の酒。ローカルであると同時に、普通の味だ。つまりサイコー！

酒宴が終わり、夜八時前には休憩室の畳に布団を敷いて眠りについた。深夜、誰かが休憩室のドアを開ける音で目が覚めた。宴の席で唯一酒を飲んでいなかった蔵人だ。

「麹の手入れが終わったんで、お酒もらっていきますね」

深夜まで麹菌の世話をして、その後飲むお酒が何より最高なのだと言う。暗がりのなかで見る彼の背中は、一日の仕事をやり終えた充実感と、自らが醸した酒を飲める喜びを語っていた。

ようやく人間の時間が終わった。ここから夜明けまで、蔵には微生物たちの時間が訪れる。

*

この旅で思い出す光景の多くは、なぜか暗くて曖昧としている。

日の光に包まれた色鮮やかな世界よりも、雪や森の影で霞んだ曖昧な世界。蔵のなかの暗がりで蠢(うごめ)いている微生物たち。視力だけでははっきりと捉えることのできない、複雑でモヤモヤとした質感が自分の脳裏にこびりついている。

光のなかに映し出されるイメージはひとつだが、闇のなかに浮かび上がるイメージは見つめる人の数だけ無限にある。外からの光が届かないならば、自分の記憶が光源となる。そしてその記憶を呼び起こすものは、時間を超えて響く声だ。

目に見えない世界からは、「光」のかわりに「声」が届けられる。それは耳元で囁かれるような、小さいけれど深くに刺さる声。情報を伝えるメッセージになる以前の、息遣い、ざわめき。暗さをじっと見つめると、声が視えてくる。その声はずっとずっと昔、何百年も前から呼びかけられていたものだった。その忘れられた声たちに、僕は出会った。一度聴き取ることができれば、日本列島のありとあらゆる場所に声が満ちていることに気づく。森の奥、土の中、水の底から僕を呼ぶ囁き。

*

江戸時代に起きた醸造ビッグバンには意外な立役者がいる。木桶だ。

老舗の醤油蔵や味噌蔵で見かける、見上げるほど大きな木桶。これは日本で特異に発達した文化だという。そういえば、ワインやウィスキーに使う木樽（Barrel）で自分の背丈を超すようなものを見たことがない。江戸時代の醸造蔵の絵巻や版画を見ると、何トンも入りそうな巨大な木桶の上や中で醸造家が働いている。まるで小人のようだ。昭和の後期まで、日本各地には桶屋がたくさんあり、その特異な巨大木桶の文化を継承してきた。しかし仕込みの容器が木桶から安価なステンレスやホーローのタンクに変わっ

ていき、木桶づくりの技術は消滅の一途を辿り、大きな仕込み木桶をつくることのできるメーカーは大阪・堺にただ一軒残るのみとなった。[*10]

その危機に立ち上がったのが、小豆島のヤマロク醤油だ。瀬戸内海に浮かぶ小豆島は、醤油の島として知られている。島内には二一蔵の醤油メーカーが集まり、中心地の街角を一つ曲がるたび醤油蔵があらわれる。日本屈指の醤油文化の集積地だ。

そしてもう一つ。小豆島は日本最強の巨大木桶の集積地でもあるんだね。島内最大規模のマルキン醤油では、何百もの巨大木桶が立ち並ぶ、平衡感覚が麻痺しそうな壮大な光景を見ることができる。木桶は金属製のタンクよりも、その蔵特有の微生物たちが棲み着きやすいとされている。[*11] 同じ土地に密集する各メーカーが個性を主張するために、木桶は大事なファクターだった。そんな経緯もあり、一〇〇年ものの木桶が、島中の蔵で当たり前のように現役で稼働している木桶大国、それが小豆島。

小豆島の老舗メーカーの一つであるヤマロク醤油の当主、山本さんは島の醤油文化の未来を守るべく、自ら巨大木桶をつくる技術を習得した。つまり消滅の運命を辿るかに見えた流れを、個人の力で逆流させたのだ。木桶 is not dead. それだけでも偉業なのだが、山本さんは次の一手を打つ。木桶づくりの技術を、他の醸造メーカーにも教え始めたのだ。年に一度、正月を過ぎた頃に蔵を開いての木桶づくり研修会。

「ヒラク君も手伝いにきなよ!」

とのお誘いに、喜び勇んで小豆島に駆けつけてみたら「研修会」とは名ばかり。そこは全国から醸造家の集まる「木桶フェス」だった! 会場のヤマロク醤油に着いたら、顔なじみのあの蔵この蔵の旦那たちがいっぱい。着くなりイエーイ! とハイタッチの嵐。そのままなし崩しに木桶づくりの作業に巻き込まれ、仕事が終わると夕方からは数十人の大宴会。本気の議論と下ネタが入り交じる異様な熱気は深夜まで続き、また早朝からテンションMAXで木桶をつくる……という日々を二週間も続ける驚異の祭りだ(僕は残念ながら二日間だけの参加)。醸造家の体力スゴい……!

この研修会(?)で僕ははじめて木桶づくりの詳細を知ることができた。

「日本の木桶の秘密は、竹。竹のタガ[12]の技術が確立したことによって巨大化することができたんです」

とヤマロク醤油の山本さんは言う。ヨーロッパのバレルの場合、主にタガは鉄の輪を使う。しかし鉄タガで木を締める方法論だと巨大な木桶はつくることができない。理屈はこうだ。木は季節によって膨張する。乾いた冬は縮み、湿った夏は膨らむ。鉄タガの場合、木が膨張したときに力の逃げどころがなくて木が割れてしまう。あるいは割れないように締める力を緩くすると今度は木の隙間から中身が漏れてしまう。サイズが大きくなればなるほど縮張の差が大きくなるので、バレルの場合は小さいサイズの木桶にせざるを得なかったわけだ。

対して竹タガの場合はどうかというとだな。まず竹を編みこんでベルトのようなものをつくる。これが外から見える竹タガなのだが、実は木を直接締めるのは、ベルトと木の表面のあいだにはさみこむ、細い棒に縄を螺旋状に巻いた芯と呼ばれるものだ。鉄タガが面全体で木を締めるのに対し、竹タガは芯の縄の摩擦力によって木を締める。螺旋状に巻かれた縄は面全体を締めることはないので、力の逃げどころがある。そして竹を編み込んだベルトは木や縄と違って伸縮しないので、桶のカタチが崩れないための頑丈なカバーになるわけなんだね。しなやかな芯とガッチリした竹カバーの両面作戦によって、木の膨張を受け止めながら中身が漏れないように締める、というアクロバットが可能になった。

このイノベーションが江戸時代初期に起こることによって、木桶がどんどん大きくなった。容器が大きくなるということは、一度に仕込む量が多くなるということ。仕込む量が多くなると、大規模な原料の調達と組織による緻密な製造が必要になる。この流れのなかで前述の日本酒づくりのイノベーションが起きたのだろう。木桶が大型化する前は、酒はどぶろくのように一段階の仕込みでつくっていたはずだが、何トンもある大型の木桶では一度にすべての原料を入れて発酵を行うことはできない。そこで、まず少量の酒母を仕込み、その酒母を大きな木桶のなかに移して三段階に分けて原料を足して酒を醸していく「三段仕込み」と呼ばれる方法論が生まれた。木桶が小型のままだったら、都美人がやっているような洗練された酒母づくりも、段階的な仕込み法も生まれなかっただろう。

モネやゴッホなど、一九世紀における鮮烈な色彩の風景画の誕生には、絵の具のイノベーションが大きく関係していた。それまで室内で画家自身が調合していた絵の具を気軽に持ち運べるようになったことで、屋外で油絵を描くことができるようになったのだ。ライカのような携帯カメラが開発されたことによって、アンリ・カルティエ＝ブレッソンやロバート・キャパは報道写真という新しいジャーナリズムを発明した。同じように、日本の醸造技術も木桶というインフラの革新によって芸術となり、同時に経済を支える産業になったのだ。

「私は小豆島を木桶のプラットフォームにしたいと思っているんです」

とヤマロク醬油の山本さんは言う。この島に全国の醸造家たちが集まって木桶をつくり、それを各々の土地に持ち帰る。メンテナンス方法もここで学び、その技術をまた各々の土地に伝える。そうやってもう一度木桶の伝統をリフレッシュさせる。しかも音楽フェスのように楽しい祭りを起点にして。

「伝統を守らねば！」としかめっ面しているヤツの周りには人は集まらない。自分たちの手で学ぶプロセス自体をエンターテイメントにして、さらにオープンにしてみんなで共有する。これが山本さんの言う「プラットフォーム」。一人の熱狂が何十人かのお祭り好きを巻き込み、何十人かのお祭り好きがいつしか何千、何万人を巻き込むムーブメントをつくりだす。その瞬間、不可逆だと思われた運命が覆る。

山本さんたちの活動を見ていると、歴史を「神の視点」で見ることが恥ずかしくなってくる。神様のように世界を見下ろして「世界の流れは必然的にこうなるであろう」と預言者ぶって、アンタ誰だよ？

時代は常に「自分込み」で動いている。流れは「起きる」だけではなく「起こす」こともできる。そのためには、まず地面に降りてくる。一人から始める。始めたことを仲間とシェアする。そのプロセスを楽しむことこそが「今を生きる」ということだ。

この木桶コミュニティにはお約束の掛け声がある。宴会や会合の締めくくりに、みんなで拳を突き上げてこう叫ぶ。

「やったる（樽）で！　オッケー（桶）!!」

＊

小豆島にはもう一人、ケリーちゃんの愛称で醤油業界の未来を担う友人、黒島慶子ちゃんがいる。醤油職人の娘に生まれ、幼い頃から醤油とともに育ってきたケリーちゃんが醤油文化の素晴らしさを伝える生業を選んだのはごく自然なことだった。彼女の精力的な活動によって、手間をかけてつくる自家醸造の醤油の魅力が若い世代にも改めて認知されている。情熱もセンスも知識もある、醤油界の伝道師なんだね。

そんなケリーちゃんと小豆島の醤油蔵を訪ねると、どこに行っても「慶子ちゃん、元気か？」と声をかけられ、世間話が始まる。ケリーちゃんにとって小豆島の醸造家たちみんなが親戚のようなもの。彼女は小豆島という土地、醤油という文化に育てられた

「島の娘」だ。こういう「土地そのものと結びついた存在」が文化の守護神になるんだね。

生まれたばかりの彼女の赤ちゃんも一緒に、海の見える丘に登った。工場から煙の立ち上る醤油蔵が立ち並ぶエリア近くの港は入江になっていて、海が優しく凪いでいる。

小豆島はもともと製塩の盛んな土地だった。しかし江戸時代に入り塩田技術が全国に普及すると、より付加価値を生む事業を求めて海向こうの和歌山県湯浅（金山寺味噌を訪ねた場所だ！）に醸造技術を学び、以後醤油の島として発展していく。関西や中国、四国の主要都市からのアクセスが良く、水害の少ない入江の湾のある小豆島は各地に醤油を運んで栄えてきた。そしてその歴史のバトンは山本さんやケリーちゃんに託されて未来へと続いていく。

醤油とともに歩んできた小豆島の歴史。その歴史は抽象的に受け継がれるのではなく、生身の人間にパスされる。伝統は資料のなかにではなく、人の身体のなかに宿る。

＊

白と黒。若さと熟成のダイナミズム。

日本酒と醤油の現場に続けて入ることで、日本の美意識について考えを巡らせた。

日本酒はその歴史において「白さ」、もっと言えば「透明さ」を目指してきた文化だ。もともと黄色く濁ったどぶろく状の「濁酒」を、醸造法の改良を加えることで透明に澄んだ「清酒」へと進化させてきた。日本酒を飲むときに定番の蛇の目お猪口[*13]の青い二重丸は、利き酒会のときに日本酒の透明度をジャッジするためのものだ。色が濁った酒は、鑑評会では減点になってしまう。色だけではない。澄んだ飲み口、水のような喉越し。雑味のなさを追求したのが日本酒の文化[*14]だ。

それは麴にもあらわれる。麴菌の胞子は若いうちは白い。それが成長を始めてから四八時間を超えると成熟し、色が濃くなってくる。この状態になると酒の香りが悪くなるので、麴が成熟しきらないうちに酒を仕込むのが基本。白い米に白い胞子が生えた純白の麴は澄んだ、香り高い酒を醸す。

いっぽう醬油の王道は「濃口」[*15]だ。旨味がたっぷり濃縮された、黒に限りなく近い濃茶色がスタンダードとされる。新酒がもてはやされる日本酒と違い、醬油は長く熟成させたものが上等とされる。小豆島のヤマロク醬油では、醬油で醬油を仕込む四年熟成の「再仕込み醬油」と呼ばれる、濃縮と熟成の極致のような醬油を主力商品にしている。麴も酒用[*16]と違って、蒸した大豆と炒った小麦でつくる旨味を強く引き出した醬油麴は色が灰緑色だ。すべてが「濃さ」を目指していく。

空間についても面白い対比がある。

日本酒蔵は掃除が命。午前中に仕込みの仕事を終わらせた後は、ひたすら掃除。仕込みが終わる夏の時期は蔵や設備を掃除するシーズンだ。清潔な環境を保つことで雑菌の混入を防ぎ、酒の風味を損なわないように細心の注意を払う。

対して醬油蔵。木桶で仕込む老舗の醬油蔵では軽率な掃除はご法度。蔵や桶に棲み着く微生物たちを排除しないように、環境が変わってしまうような掃除はしない。蔵の壁や桶には積年の埃と微生物の残骸が固まって、鍾乳洞のような結晶がびっしりとくっついている。多様な生物と時間を積み重ねることで味の個性を担保している。

軽やかでほんのり甘酸っぱい「若さ」の日本酒と、濃厚で重厚な風味の「熟成」の醬油。雑菌のいない清潔な酒蔵と、多様な菌を呼び込む洞窟のような醬油蔵。これは白さ=穢れ(けがれ)のない清浄さ、黒さ=陰影のある奥深さの二つをともに重んじる日本文化の不思議なダブルスタンダードをあらわしているかのようだ。

ほら。澄んだ吟醸酒にお刺身を合わせるときに欠かせないのが、漆黒の濃口醬油でしょ?

白と黒が組み合わさったときに、至高の美の体験が生まれるのだ。

＊

関西から瀬戸内海の東側、淡路島を抜けていくと徳島へ出る。かつて阿波と呼ばれたこの地域は、中世に西日本きっての経済発展を遂げた土地だった。その躍進の原動力となったのが、これまた発酵にまつわるプロダクト、藍(あい)なんだ。

「うそでしょ？　染色と発酵って関係あるの？」

それが大ありなのさ。藍を使った染色技術「藍染め」は微生物の力を複雑にコントロールしてできた発酵染色なんだよ。しかも。藍染めには二段階の全く原理の異なる発酵プロセスがある。いまだにほとんど解明されていないその特異な発酵文化を訪ねたときの話を聞いておくれ。

まず藍染めのアウトラインを簡単に説明しよう。

・蓼藍(たであい)という植物の乾燥葉をむしろに包んで腐葉土状に発酵させる（一段目）
・熟成した[＊17]「すくも」を灰汁(あく)のなかに溶かして発酵させ染料液とする（二段目）
・発酵した染料液に布を浸す→空気に触れさせるというサイクルを何度も繰り返して

色素を定着させる

ざっくり言うとこんな感じだ。蓼藍は発酵プロセスを経ずに、普通の草木染めのように染めることもできるのだが、ドラえもん程度の薄いブルーまでしか着色できない。しかし蓼藍の葉を腐葉土状に発酵させ、藍色の色素を濃縮し、さらに染料液を発酵させて染めを繰り返し重ねられるようにしたことで、ものすごく濃いインディゴブルーの色を生み出すことができ、しかも草木染めよりはるかに色素が抜けにくくなる。めちゃ考え抜かれたテクノロジーなんだよ。藍染めはさ！

それではディテールを見ていこう。まず蓼藍の葉を腐葉土にする一段目の「すくも」づくりから。現場を見せてもらったのは、徳島市から吉野川を越えて西に二〇㎞ほど行ったところにある、新居製藍所（にいせいあいしょ）。ここで摩訶不思議なすくもの製造現場に立ち会うことができた。

新居製藍所の入り口をくぐると、すぐにツンとした臭いが漂ってくる。アンモニアだ。その奥、土壁の大きな部屋に入ると、もうもうとした白い湯気が立ち上っている。蓼藍の葉が発酵して猛烈な熱とアンモニア臭を放出しているのだ。工房の中に入ると涙がポロポロ流れてきた。煙だらけの視界のなか、すくも職人たちが鍬で山と積まれた蓼藍の葉を掘り起こしている。そして藍師の新居さんが柄杓（ひしゃく）に水をすくい、美しいストロークで蓼藍の山に水をバシャッ！　とかけていく。それを何度も繰り返し、山をきれいに切り返し、水分で湿らせたら、むしろの布団をかけ、最後に藍神様と呼ばれる小さな依代のようなものを山の上に載せて手入れ作業はおしまい。

「葉を積んで発酵させる最初のプロセスで、蓼藍の山の表面に白いカビがびっしり生えます。山をむしろの布団で暖めて、定期的に切り返して水分を与えるうちに、今度はバクテリアが働いて熱とアンモニアが出てきます。この発酵を促すために、酸素（鍬を入れる作業）と水分（水打ち作業）を足してあげる必要があるんですね。これをずっと繰り返すと、葉が分解されてすくもになっていきます」

と藍師の新居さん。微生物の種類や具体的な代謝作用はよくわからないらしい。僕も手に入る範囲で論文を探してみたが、その詳細はいまのところ不明のようだ。
ただ、僕は農家の堆肥づくりの現場を見てきたのでなんとなくその理屈は推測できる。最初にカビ類が取り付いて葉の細胞膜を破壊し、次に酵素を使って活動する細菌類や糸状菌と呼ばれる微生物たちが、細胞膜から漏れ出てきた糖類やタンパク質などを食べて分解する。このときに呼吸による熱が発生し、山のなかの温度がどんどん上がっていく。するとと次は放線菌と呼ばれる高温環境で植物の固い繊維を分解する微生物が活発になり、そして温度が落ち着くプロセスで繊維を分解した残りカスを食べる細菌類が集まってきて、最終的に腐葉土になっていく。そんな堆肥と似たようなプロセスがすくもでも起こっているのだろう。このプロセスのなかでインディゴ色素が濃縮（あるいは変質）していくのだろうか？

そして数ヶ月かけてできあがった発酵した蓼藍の葉を袋に入れ、商品としてパッケージにする。これが藍染の原料となるすくもだ。ここまでが第一段階の発酵。

そして二段目の発酵。藍染めの現場だ。

ここからのプロセスは藍染めの工房や染色作家の手に委ねられることになる。徳島市内で訪ねた梶本さんの工房では、ちょうど染色液を発酵させている最中だった。染色液が入った甕（かめ）のフタを開けると、ギャラクシーな紫色に妖しく輝く染色液が、プクプクと発酵していた。

染色液の製造工程を順を追って説明するとだな。まず灰と石灰を混ぜた水に、すくもを入れる[*18]。これはつまり、強アルカリ性の水環境にすくもを反応させるということだ。すると、インディゴ還元菌と呼ばれる細菌類をはじめ、アルカリに強い特殊な微生物たちが活動を始め、すくもが発酵して水に溶けていき、あのギャラクシーな紫色の染色液ができあがる。ここに布をしばらく浸して、その後取り出して野外に干すと酸素と反応してあのマジカルな藍色があらわれる。

これも僕の推測を多く含むが、色素定着の原理はpH値のコントロールにある。まず蓼藍のなかのインディゴ色素をすくもにすることによって濃縮する。普段葉っぱのなかに閉じ込められて外に出てこないその色素を、高アルカリの環境のなかで遊離状態にする。そして布に遊離したインディゴ色素を移し、酸素と反応させ、かつpH値を下げることによって色素を布に定着させるのだろう。

うーん、ちょっと難しいかなあ。たとえてみるとだな。ふだん実家に引きこもっているオクテの男子が女子ばっかりのパーティ会場に引っ張り出される。そこでチヤホヤされたオクテの彼は、一時的に社交的になり、その場で出会ったとある女子と恋仲になり、成り行きで彼女の家で同棲することになりましたとさ……で、インディゴ色素＝オクテの男子であり、パーティ会場＝染色液であり、女子＝発酵菌、そして彼女の家＝布！そして見事立派な藍染めの布ができあがるのさ。

＊

現在の徳島市から美馬（みま）市のあたり、吉野川沿いの平野は江戸から明治にかけて一面の蓼藍の畑であったという。吉野川流域は頻繁に洪水が起こる土地だったのだが、それが湿り気のある土壌を好む蓼藍の栽培に適していた。洪水のたびに畑の土が入れ替わり、連作障害を防ぐ効果があった（そのかわり稲作には向かなかったようだが）。新居製藍所のある地区にはすくもをつくる工場が林立し、吉野川から製品のすくもを船に載せ、瀬戸内海を通って全国へと運んでいった。徳島は日本における「藍の主都」だったのだ。

藍色は中世の日本におけるスタンダードカラーだった。ほら、醸造蔵の法被(はっぴ)や前掛けも藍色でしょ。身分制度が厳格だった江戸時代、庶民は派手な色の服装をすることは禁じられていた。そのなかで許されていたのが藍染めのインディゴブルー。草木染めよりも色褪せしにくく、綿でも麻でも絹でもしっかり色が定着し、生地が強くなり、肌荒れも起こさない機能性に富んだ藍染めは、庶民に一番馴染みのある染色として巨大な需要があったわけだ。

藍染めの産業を考えるうえで、ひとつ重要なポイントがある。藍染めの工房は日本各地にあるのだが、染めの原料となるすくもの生産地は限られている。なかでも阿波は質の高いすくもの名産地。全国に消費のための需要がある反面、「原料」を生産できる場所は限られている。これはビジネスにおける最強の勝ちパターン。江戸〜明治における阿波の特産、「阿波藍(あわあい)」はつくればつくるほど売れ、しかも競合がいないという金の卵だったんだよ。

この時代、徳島はすくもを全国に売りまくって隆盛を極めた。江戸の日本橋付近にはすくもを売りさばく藍商人たちの支社が立ち並び、すくもビジネスで大富豪となった「藍大尽」を輩出した。

それでね。徳島名物といえば阿波おどり。この阿波おどりの文化は実はこの藍大尽の接待から生まれたという説が有力だ。[19] 中世には先祖供養の盆踊りの一バリエーションだった阿波おどりが、藍大尽たちが花柳界での出し物として洗練させるうちに、だんだん宗教性が薄れて大衆芸能になっていったそうな。阿波藍の隆盛が、現代まで続く阿波おどりの文化の端緒となったのだ。

＊

日本の近代化を支えた日本酒と、そのインフラとなった木桶。そして徳島の阿波藍の文化。どれもがつい一〇〇年ほど前まで日本を支える重要な産業だった。しかし。そこから現代に至るまで衰退の一途を辿っているように見える。時代の大勢に呑み込まれて、これらの文化は消滅してしまうのだろうか？

僕はその状況に、自信を持ってNO！と言いたい。

大量生産・一括納入のモデルを、少量生産・多バリエーション展開に切り替えて利益率を最適化した都美人のケースを考えてみよう。ダウンサイジングを後退ではなく、むしろ熱心なファン獲得のための前向きな戦略として結果を出してみせた。

均質化でなく、ローカルな個性を主張するものづくりの価値が高まると、蔵の個性を出しやすい木桶の文化がリバイバルする。ヤマロク醤油は木桶を復活させるプロセスそのものを起点にして、全国にまたがるコミュニティをつくりつつある。

さて、阿波藍はどうだろうか？

ここにも新しい流れが起こっている。新居さんのような一部の職人が必死に守ってきた伝統を、若い作家たちがモダンな表現で再解釈しはじめている。しかもその流れは日本国内だけにとどまらない。僕が訪れたある藍染め工房では、オランダのアーティストたちが研修にきていた。ヨーロッパではすでに失われてしまった藍染めの技術を再発見するために日本にやってきたのだ。彼らの藍を使った作品を見せてもらったら、伝統工芸の枠にとどまらない斬新な表現だった。

かつてのように酒や木桶や藍染めを国の基幹産業にすることは現実的ではないかもしれない。しかしグローバル産業からこぼれ落ちる、でも少なからぬ人たちが欲しいと望むユニークなプロダクトの代表にすることはじゅうぶん可能だ。歴史の蓄積が深いだけに他の誰も真似することができない、その土地のローカリティを体現する温故知新の文化として、発酵の可能性は無限だ。そしてその個性はローカルであるがゆえに国境を越え、他の国のローカルとつながり、深く理解し合うことができる。

今、日本の各地方で起き始めている発酵を巡る新しい流れは、日本だけでなく世界で起きている流れとつながっている。小さなものは大きなものに回収されて消えてしまうのではなく、小さなままどんどん増えて大きな変化を起こすことができる。まるで微生物のように。

＊1　コラム（→P.126）を参照。
＊2　詳しくは『日本酒の近現代史』（吉川弘文館）を参照。
＊3　現在の酒類総合研究所が様々な技術を開発した。きょうかい酵母の開発・頒布や、乳酸を添加した速醸法などがその代表。
＊4　酒造りの親方。社長が事業の責任者であるなら、杜氏は酒の製造現場の責任者。
＊5　正確には「山卸し廃止酛」。蒸し米をすりつぶして乳酸菌を呼び込む「山卸し」の作業をせず、自然に菌が入ってくるのを促す醸造法。めちゃ難しい。
＊6　原料米を精米して半分ほど削り、職人の手間を惜しみなく注いで醸す高級酒。
＊7　奥能登で生まれた杜氏集団。全国にあまたある杜氏集団のなかでも全国で活躍するエリート集団のひとつ。
＊8　品種改良することによって泡の生成を少なくした酵母。泡が少ないのでタンクの容量ギリギリまで仕込める。
＊9　米と水だけでつくる伝統的な純米酒に対して、アルコールを添加してつくる近代以降の醸造法を使った酒を普通酒と言う。一般的に普通酒は糖類を添加することが多いが、都美人のように糖類を添加せず、丁寧につくっている蔵も多い。
＊10　ウッドワーク。醸造家たちは「やめないで！」と強く願っている。
＊11　杉の繊維は微生物が棲み着きやすい環境。その蔵の環境に適応した発酵菌の生態系が醤油の風味に影響する。

＊12　竹を三つ編みのように編み込んだロープ。「タガが緩む」のタガ。編むのめちゃくちゃ難しい……！

＊13　白地の陶器の底に青い二重丸の模様が描かれたもの。お酒の色味が確認しやすい。

＊14　あえて雑味とされる風味を強調した流れも近年注目されている。広島の竹鶴や千葉の寺田本家など。

＊15　淡口（うすくち）醬油や白醬油など、淡色の醬油もあるが少数派。

＊16　パッと見では緑色にカビた木の実か石ころのよう。酒麴と比べると同じ麴とは思えない。

＊17　一段目の発酵が終わったすくもを包み、数ヶ月寝かせてから使う工房もあった。

＊18　梶本さんの場合、まず、すくもに貝灰を混ぜ、温めた木灰汁を加えてから、栄養源として日本酒などを入れる。

＊19　詳しくは鍛冶博之の論文「近世徳島における阿波藍の普及と影響」（社会科学　第45巻、同志社大学人文科学研究所編、２０１６）を参照。

Column 7

発酵と信仰

第二章で取り上げた「酉」「酒」「醤」「醸」の漢字のエピソードを筆頭に、発酵文化は信仰や神事と深い関わりを持ちます。

古代アジアの世界観

古代中国における「酉」の象形文字は酒壺。これは酒や調味料を仕込む甕のこと。同時に渡り鳥や、渡り鳥が飛んでくる西の方角を指しました。しかも甕の用途は調理用にとどまらず、個人を埋葬する棺（甕棺墓（かめかんぼ））でもありました。このような重層的な意味が、「醸」の文字に生命が蘇るイメージをつくったのでしょう。

日本の発酵コスモロジー

この古代アジアの世界観は古代日本にも継承されます。命を生成する力・場を指す古語「むすび」は、「産す魂」の他にも「蒸す」という当て字が使われます。麹のように、穀物を蒸すことによって生命が蘇る下地ができます。

古事記の冒頭の神様が誕生するシーンに、カビが萌え上がるように生まれ出る土着の神、その名も「ウマシアシカビヒコヂノカミ」という美味しそうな名前の神様の記述が出てきます。温暖で多湿な日本の環境では、生命はカビのように目に見えないところからモヤモヤと生まれ出てくるもので、蒸すという調理作業はカビのような微生物たちが働きやすい環境を整える、そんな世界観があったのでしょう。なお、酒を仕込む甕は「たしらか」と言って、天皇が手を清める神具でもあります。

酒の神、松尾様

京都市に松尾大社という、醸造関係者には有名な神社があります。ここに祀られている松尾様は酒の神様。毎年全国の酒蔵が参拝に来てお酒を奉納する場所なのです。各地の酒蔵を見学したときに、工場をよく見てみると神棚にこの松尾様が祀られているのを発見できるはずです。松尾大社は京都の洛中から外れた西部にあるのですが、平安京が成立する前からこの地にあった、ものすごく古い由来を持つ神社です。ちなみに松尾大社のシンボルは亀と甕。流れる水を留めて醸す場所なわけですね。

他にも島根県出雲の佐香神社は古代の神々が何ヶ月も続く酒宴を行った地、長野県諏訪地域の御座石神社は古事記の女神、ヌナカワヒメがどぶろくを振る舞った地として文献が残っています。

海の幸と神事

お祝いごとに使う熨斗の起源って知っていますか？　実は中国由来の干しアワビから来ているのです。もとは贈答品としていた高級品であるアワビの加工食品を簡略化したものなんですね。

静岡県の西伊豆には、塩漬けにしたカツオを干して神様に捧げる文化があります。稲の豊作を祝うように、海の幸の大漁を祝うお祭りは伊豆諸島の神津島で今でも行われています。アワビの加工文化はやがて煮貝（アワビの醤油漬け）、カツオの加工文化は鰹節として発展していったんですね。

藍神様と商売繁盛

酒や魚介にとどまらず、なんと藍の神様まで！　すくもづくりの現場に行くと、蓼藍の山の上にとっくりに差した、葉を模した注連飾のような依代が置いてあります。これを「藍神様」と言い、すくもづくりの守り神とされているそう。徳島市からほど近い佐那河内村の大宮八幡神社にはこの藍神様が祀られています。

こんな感じで、日本津々浦々に発酵に関する神事や信仰がいっぱい。僕の家の近所、ワイン醸造で有名な山梨県勝沼には、なんとブドウの房を持った薬師如来や、ブドウの病気を防ぐボルドー液という農薬に感謝したその名も「ボルドウ神社」があります。発酵あるところに信仰あり……！

第八章　辺境を生きる知恵　九州の旅

デザイナーとして独立した直後の二〇代半ば。東京で全然仕事がなくて毎日ブラブラしていたら、見かねた知人が地方での仕事を紹介してくれた。それが僕の性分にあっていたようで、それまでほとんど知らなかった地方の暮らしや文化をあちこち見て回るようになった。最初に驚いたのが、奈良や京都の街並みだ。入り組んだ路地や通りの名前、古い建物の風情が「オレたち江戸より前からいましたが何か？」というオーラを放っている。もちろん教科書で習っていたことではあるのだけど、東京での生活がすべてだった当時の僕にとって「違う原理と歴史で動いている土地」の存在は衝撃的だった。そして数年が経ち、今度は九州に通って仕事をすることになったときにまた驚いた。「オレたち飛鳥時代より前にいましたが何か？」という土地にそこここで出くわすのだ。

地図を見れば一目瞭然。朝鮮半島から九州北部は目と鼻の距離。さらに壱岐や対馬などの中継地がある。そして九州西部は東シナ海を介して中国の東岸部から人と文化が移動してきている。[*1]奄美（あまみ）・琉球のエリアは台湾、さらに東南アジア諸島からの文化の影響を受けていることは言うまでもない。関東地方における「オレたち縄文時代からこっちに渡ってきて狩猟採集してました！」[*2]というのとは違う、アジアの諸文明が成立してからずっと人や情報やモノの交流を行ってきた土地なのだ。つまり飛鳥朝廷成立以前の先進地[3]は九州だったんだね。歴史的経緯も気候風土も本土とは異なる九州で出会う発酵文化は、やっぱりとびきりユニーク。

四七都道府県の発酵を巡る旅、大詰めは九州の知られざるガラパゴス発酵を巡る旅だ。

＊

二月の終わりから三月にかけて、南から春の息吹がやってくる。宮崎駅につくと、コートを手に持ったまま外に出た。広々としたターミナル、真っ直ぐのびる大通りの街路樹はヤシの木。快晴、気温はたぶん、一五度くらいある。こないだまで厳寒のなか日本酒の蔵に入ったり木桶をつくったりしていたのが信じられない。南国にやってきた！

「『むかでのり』という地元の人でも知らない風変わりな食べ物があるらしい」

という宮崎出身の友人からの情報を頼りに、まず現地での情報収集から始めることにした。

ここでちょっと話が逸れてしまうが、今回の僕の旅のスタイルの変遷について話してもよいかしら。実は旅を始めた当初、僕は現地に行く前に必ず取材のアポを取るようにしていた。無駄足になるのを避けるために当然やるべきことなのだが、途中からその事前作業をやめてしまった。それをやっていると「誰かがすでに歩いた道」しか行けないからだ。本や雑誌を調べたり、ネット検索したりしたら見つかるような情報をアテにして出かけると、僕の見たい景色に出会うことができない。

「で、ヒラク君の見たい景色ってのは何なのさ？」

その土地で日常的に続いてきたものづくりの現場。なるべく街場のお店や蔵、できれば家で手づくりしている現場に立ち会えればベスト。もっと言えば。当初予想もしていなかった、未知のものに出会いたい。愛媛のいずみや、北海道東の山漬け、青森の「ごど」[*4]、山形の「煎じきうり」[*5]、宮城の「あざら」[*6]など、旅の成り行きのなかで出会えたユニークな発酵文化がたくさんある。がっちりスケジュールを組んで「次はここ、今日はこの宿に予約とってます」なんてやってたら面白いものには出会えない。アポなし、行き当たりばったり、明日のことは明日決める。まずは自分の身体を運ぶ。そこから動く、考える。そうしたら反射神経と直感が鍛えられる。自分が知りたいことを教えてくれそうな場所や人が光って見える。何も決めていないからこそ、「今から来る？」と言われたら「行きます！」と即答できるでしょ。

旅は、自分を空っぽにして出会いに委ねる。それがいちばん面白い。

*

ツテなしでローカル発酵情報をゲットするには二つの選択肢がある。一つは街角のお母さんをつかまえておしゃべりすること。もう一つが、いかにも地元！という面構えの飲食店（カウンター主体の小料理屋さんが望ましい）に、オープンと同時に入ることだ。こうすればローカル食情報を握っているご主人や女将とカウンター越しにいろいろ話すことができる。[*7]

宮崎市についた日の夜。宿の近所の小さな割烹料理屋に当たりをつけてみた。ツルツルに磨かれた無垢材の一枚板のカウンター、その上のテレビではナイター中継。座敷のテーブルにはどこも「予約席」のカードが置いてある。これぞ地元民に愛される街場の名店。完璧。地元の焼酎のお湯割を飲みながら、黙々と魚をさばいているご主人に話を切り出してみた。

「すいません、むかでのりって知ってます？」

　ご主人の手がピタッと止まる。

「あんた……何者ですかい？」

「へい。あっしはしがない発酵デザイナーでして……」

　という感じで自己紹介をすると、ご主人、なるほどという顔をして答える。

「むかでのりはね、日南（にちなん）っていう地域の郷土食なんだ。宮崎の人でもほとんど知らない。ただ、俺の親戚が家でつくっていたはず……」

　とそのまま携帯を取り出して親戚に電話してくれたのだが、どうやらご主人の親戚は残念ながらすでに手づくりをやめてしまったそうだ。しかし親戚オススメの商店の情報をゲットしたので、その名前を頼りに日南海岸に向かってみることにした。

　翌日、駅前で車を借りて日南海岸を南へ南へと走っていく。強い日差し。車窓から見えるヤシの並木、その向こうにはきらめく日向灘（ひゅうがなだ）。せりだした山際と海岸線のあいだの国道二二〇号線は、三月を前にして初夏のようだ。宮崎市から三〇㎞ほど下った海沿いに伊比井（いびい）という無人駅がある。その駅前に、むかでのりをつくっている商店があるらしい……ということで駅のとなりの南国感溢れる集落をぐるりと歩き回ってみたが、商店らしきところが見当たらない。縁側で日向ぼっこしていたお母さんに「むかでのりを売っているお店を探しているのですが……」と尋ねてみたら、

「ああ、漁師のご家族が手づくりでやっているのよ。でも最近はもうつくってないみたいなのよね」

とのこと。一応そのご家族の家の前に行ってみたが、誰もいない。お母さんに聞いた電話番号もつながらない。しょうがないので、もう一軒の商店もあたってみたら、

「むかでのり？　ああ、キリンサイのことね。今年は原料が手に入らなくてつくってないんだよ」

とこれまた残念な返事。いったいどこに行ったらむかでのりに出会えるのか？　と途方に暮れながらさらに南に向かい、古い城下町である観光地、飫肥（おび）を通りかかったところで、郷土食のお店に立ち寄ってみることにした。もしかしたらメニューで出したりしてないか……とダメもとで入ってみたら、なんとあったんだよ！　むかでのりが！

「結局むかでのりって何なの？」

あ、そうだ。まだちゃんと説明してなかったね。むかでのりとは、キリンサイという日南海岸でとれる海藻でつくった寒天状のものを味噌漬けにしたもの。これぞ南洋！な発酵レシピなのだ。原料のキリンサイをそのまま料理の名前とすることもある。食堂で働く女性に話を伺ってみたところ、

「むかでのりはこのあたりで昔から食べられているものなんだけど……由来はよくわかりません。お年寄りが好きな食べ物、というイメージで。ここ数年原料の海藻が全然手に入らなくて。例年は商品として売店でも売っているんですが、今年はたまにランチの付け合わせで出す程度で終わりです」

とまたもや原料とれないよ！ 発言。ここまで来たらもうちょっとむかでのりのことを知りたい！ と食い下がってみると、「スーパーとむら」というスーパーチェーンで売っているかもしれないとのこと。さっそく最寄りの店舗に行ってみると、ある！ 生鮮加工品のコーナーにカジュアルにむかでのりが置いてある！ 二パックほどレジに持っていって、そのままパッケージの裏に書いてある加工場に直行した。スーパーから車で一〇分ほどの郊外にある工場に訪ねていくと、突然の訪問に戸惑う戸村フーズのスタ

ッフの皆さま。そうしたら工場のスタッフの女性が僕の顔を見て、

「あっ！　あなたこないだテレビ出てた人でしょ！」[*8]

と言ってから場の空気が一変。ウェルカムモードになり、無事にむかでのりの製造現場をじっくり見学できることになった。その製法はこんな感じだ。

春以降の暖かい時期に、日南海岸に生えるキリンサイを収穫する。収穫時の一〇分の一くらいになるまで何度も何度も天日干しにする。乾燥させたキリンサイを水に戻して煮込むと溶けてゼラチン状になる。そのゼリーを四角い型に入れて冷やすとピンクの寒天状のブロックになる。これを味噌に一〜二週間ほど漬け込むとむかでのりのできあがり。

「キリンサイはむかでみたいなカタチだろ。それからつくるから、むかでのり。この日南地方ではずっと昔からつくられてきた手づくりの食べ物だよ」

とキリンサイをはさみで細かく刻んでいるおじさんが教えてくれた。ちなみにはさみで細かく刻んでから寒天をつくると、海藻の繊維がきれいに溶けてツルツルの寒天にな

るらしい。家庭によっては、ツルツルの寒天より繊維が残る荒々しい質感を好む人もいるとか。

「むかでのりはね、海沿いでつくるものなんだけど、山の中の村でも食べられてきた。お盆にご先祖さまにむかでのりをお供えする風習があるんだ。どうしてなのかわからないけどな。日持ちするから、お供えの後に食べてもお腹壊さなかったかもしれんねえ」

知れば知るほど謎の残るむかでのり。その味わいはというとだな。こんにゃくよりもプルップルでやや歯ごたえのある面白い質感に、九州の甘旨い味噌の味がよく漬かって、いくらでもパクパクと食べられる。ご飯の付け合わせにも、焼酎のおともにもいけそうな乙な味だ。

そして。行く先々で「原料がなくてねえ」という理由もわかった。近年の霧島山系の噴火によって海の生態系が変わってキリンサイが採れにくくなっているのに加え、それを収穫する漁師も急速に減っているのだとか。家庭で手づくりする人は少なくなっているが、昔からの食事を好むお年寄りやお盆や祭事用のニーズがあるので、戸村フーズさんでは手に入りそうなキリンサイを探し集めて工場の片隅で手づくりを続けているそうだ。ローカルスーパーの鑑（かがみ）……！

宮崎市に帰る途中、日南海岸沿いのパーキングに車を停めて、ヤシの木にもたれかかってうとうとと昼寝した。うららかな日差しに優しいそよ風。春のはじまり、旅のおわり。

＊

海の次は山へ。

宮崎から西へ。鹿児島へ立ち寄って芋焼酎文化のおさらいをした後[*9]、熊本の東、阿蘇へ向かった。九州自動車道で熊本市のあたりまで行って、そこから下道で阿蘇山へと向かう。途中、大地震の影響で通行止めになった道路をいくつも迂回しながら、やがて山づたいを走る阿蘇パノラマラインに出る。山を登るにしたがってだんだんと景色が変わっていき、火口近くまで来ると、

「なな、なんだこれは⁉」

と驚愕の世界があらわれる。山の斜面を覆い尽くす、黄金色の干し草。見渡す限り金色の大地が広がっている。山の上には霧あるいは火口から漂ってくる煙が空を覆い隠している。今まで見たことのない異世界。一瞬、実は自分は衝突事故か何かにあって、あ

の世に来てしまったのではないか？　と錯覚するほどだった。

車を停めて、黄金色の大地に飛び込んでいく。夢中で斜面を登り、平野を一望できる場所に腰を下ろす。山裾には、牛たちがのんびりと草を食んでいるのが見えた。やがて世界の色が黄金から真っ白に。どうやら靄のなかにすっぽり包まれてしまったらしい。

＊

旅の深みへはまっていくと、楽しさよりもどこか恐ろしいものへ、自分探しよりも自分を見失う方向へと向かっていくようだ。どことも知れないこの世の果てにたどり着いて、心細さに自分のこれまでの人生を忘却してしまうような、そんな瞬間を待ち望んでいる自分がいる。僕がかつてバックパックを担いで世界各地を旅していたとき、旅とは「自分の世界を開く」ということと同義だった。見たことのない光景を見てみたい、自分の外部の世界のドアを開けてみたい。そんな「未知なるものへの焦燥感」は、旅が仕事の一環になるようになった数年前からどんどん色褪せていった。そのかわりに、ふと「自分の世界が閉じる瞬間」に立ち会うようになった。自分の記憶の暗い谷底に沈んでいる、かつて身近だったはずなのに、今や不気味に風化してしまった世界。旅は未知のドアを開けて心の光を照らすだけではない。ずっと閉まったままの錆びついたドアを暗がりのなかで見つけ出す旅もある。

旅して旅して旅した末の究極の風景は、雄大な自然でも壮麗な神殿でもなく、自分の心象風景なのかもしれない。膨大な景色を通過した後の心象風景は底の見えないほど深く、無数の記憶の泡が渦巻いている。言葉の通じぬアジアの街の雑踏にはじめて足を踏み入れたときの興奮。ヨーロッパの美術館の地下で古代世界の収蔵品を飽きずに眺めた不思議さ。旅で感じた心の動きはやがて子どもの頃に皮膚で感じた記憶を呼び覚ます。川辺に照りつけるジリジリとした日差し、家でひとり熱にうかされたときに窓から見える雲のかたち。小さな頃に泳いだ海の冷たいきらめき。そしてそのきらめきの向こうから、もう会えなくなった祖父や友人が僕に呼びかける声が聴こえる。

さあ、もう行かなくちゃ。

*

靄を抜けて下っていくと、阿蘇の町に出る。ここで僕が出会ったのは「あかど漬け」という素朴な漬物だ。町の中心から一〇㎞ほど西の里山に突然あらわれる農家レストラン、「菜の花」のお母さんが阿蘇ゆかりの発酵食品をつくっていた。

あかど漬けは、あかど芋と呼ばれるローカル里芋の茎を乳酸発酵させた、鮮やかなピンク色のお漬物だ。夏過ぎから秋にかけて、一・五ｍほどの高さに茂った里芋の葉の茎の、やわらかい部分を見極めて切り取る。それをまずはよく洗って、場合によってはしばらく水に浸け、塩を揉み込んで一晩漬ける（他の漬物でも定番の前漬けの工程）。すると長い茎がしんなりするので樽に漬け込むことができるようになる。そして二度目の漬け込み（酢を加える場合もある）。樽に重しを載せて数日するうちに上がってくる黒っぽい水分を取り除きながら、最終的に一〜二週間ほど発酵させるうちにきれいなピンク色の、なんともいえないテクスチャーの食べ物ができあがる。かじってみると、しんなりした茎から酸味のある汁がジュワッと溢れ出し、それでいてシャキッとした歯ごたえも残っている。地元では「畑の馬刺し」というキャッチコピーがついているらしいが、どう考えても馬刺しではない。ジュワッと味が染み出す高野豆腐とシャキシャキの高菜漬けを足して三で割って乳酸フレーバーを付け加えたような不可思議な味だ。

さてこのあかど漬け。もちろん里芋の副産物として生まれたもの。火山地帯で平地が少なく、痩せた阿蘇の土壌は稲作に向いていなかった。そこで貴重なカロリー源となっていたのが里芋。その茎の部分も漬物にしてビタミン源としていたんだろうね。海から遠く、稲作にも向かない山間地は、生命を維持するために必須の炭水化物やデンプン質を確保するのに、涙ぐましい努力をしたのだろう。ちなみに熊本は中世から馬肉を食べる文化がある。基本的に肉食が禁止されていた日本では珍しいのだが、海から遠く魚介からタンパク質を摂ることが難しかったゆえに生まれた苦肉の策だったに違いない（でも馬の肉は苦くなくてむしろ甘い）。

あかど漬けのつくりかたを教えてくれた英美子さん。自分で畑をやって、加工して、レストランをやって……と何でもつくるスーパーお母さんなのだが、六十歳を過ぎて趣味で手仕事を始めたのが発展して飲食店や食品加工を生業とするようになったそうだ。

「あかど漬けなんて手間かかるものつくってもあんまりお金にならないでしょう。でもいいの。おばあちゃんの趣味で始めたものなんだもの。もうみんな見向きもしなくなったものをつくっているとね、たまにあなたみたいな人が訪ねてくるでしょう。お金お金ってあくせくしなくていいし、趣味も悪くないなって思うわよ」

ふふ……とパワフルに笑う英美子さんと談笑していたら、娘の美恵子さんが帰ってきた。還暦すぎて起業した母の熱意にほだされて、娘もチームに加わったのだ。

「あらあら、遠くからようこそいらっしゃいました。あの……うちのお母さん、ものすごく元気でしょう？」

うん。とっても。阿蘇山の化身なんじゃない？

＊

山から今度は島へ。

福岡から北西へ飛行機で三〇分。九州と韓国の間に浮かぶ対馬に到着する。元寇の激戦地となったことで知られる朝鮮半島からの玄関口だ。この島に「せん」と呼ばれる対馬オリジナルのとんでもない発酵文化があるんだね。

対馬空港から市街地へのバスに乗ると、春休みなのだろうか、オシャレなファションに身を包んだ大学生とおぼしき韓国の若い子でいっぱい！　それもそのはず。対馬は韓国の大都市、釜山（プサン）から船で一時間ほど。姫路や高松から小豆島に遊びにいくような感じで、異国のカントリーサイドに遊びに来てしまえるのだ。日本の本州から福岡まで飛行機を乗り継がなければいけないけれど、韓国からは一瞬。九州や沖縄はこういう場所がいくつもあるのが面白い。

島というと海！　というイメージがあるが、対馬は全長八二㎞の細長い地形の大部分が山間地で、大きく開けた海辺の面積が少ない。そんな山の島、対馬の中心地、厳原（いづはら）にほど近い内山地区で民泊をやっている内山夫妻を訪ねた。

対馬には日本の湿った里山とも、奄美や沖縄のような南国の森とも違う、しんと乾いた東アジアの大陸っぽい森や山の景色が広がっている。その山のふもと、平たい石を積み重ねた珍しい石瓦の小屋の軒先に「せん」が干されていた。

せんとは何だろうか？　無理やり一言でいうと、サツマイモのデンプンを発酵の力で取り出したもの。乾燥した団子の形状で備蓄する、対馬の伝統的な保存食だ。

原理でいうと、川崎大師のくずもちにちょっと似ている。くずもちでは小麦粉から、せんではサツマイモからデンプンを取り出す。ただし、せんのほうが何倍も手間がかかるんだね。それではつくりかたを説明しよう。

・秋口に収穫した芋を洗って細かく切る
・その芋を水にさらしてあくを抜き、最初の発酵（おそらく乳酸発酵）を行う
・一ヶ月ほど水にさらした後、芋を引き上げ、袋などにくるんでさらに数週間発酵させる
・やわらかくなった芋をつぶし、団子状に固めて野外に置くとカビ類など様々な菌で発酵する
・数週間ほどして団子にカビがびっしり生えたら、また水にさらす
・何度も灰汁を取り除きながら団子を熟成させていく
・溶けた団子のモロモロをザルなどで濾してデンプン質を沈殿させる
・布をかけた器に遊離したデンプンをあげ、水気を切る

・デンプンを小さな団子状に成形しなおし、軒先で乾燥

秋口からはじめて完成は年明け以降。つまり四ヶ月以上延々と細かい手間をかけて完成する。天日で乾かされた団子状のせんは腐ることなくずっと保存しておくことができる。団子を水で練ったものを茹でてお餅のように食べる、あるいはそれを麺状にして食べるのがメジャーな食べかただ。食感はさすがにデンプンの塊。プリプリモチモチではのかに芋っぽい甘さと発酵の酸味が漂う。鶏肉でだしを取った汁に、せんでつくった黒い麺を入れて食べる「ろくべえ」はこの旅でも屈指の素晴らしいローカル発酵グルメだった……！

「ずいぶん手間がかかるでしょう。できあがるまでに千の手間がかかるから『せん』っていう名前がついた、なんて話もあるのよ」

と内山お母さんが笑う。しかし離島とはいえ、どうしてこんなにも手間がかかりまくる文化ができたのか？ そのヒントは対馬の気候風土にある。南米で生まれ、大航海時代にアジアの大陸を通過して日本に渡ってきたサツマイモ。本州ほど稲作が発達しなかった九州で大いに普及した。しかしこのサツマイモ、実は冬の寒さに弱い。一〇度を切るとたちまち腐ってしまう。食べ物は暑いほど腐るイメージがあるけれど、南国の土地

で生まれたサツマイモは逆。サツマイモ普及の中心地となった鹿児島（薩摩）と違い、対馬の冬は寒い。秋に収穫したサツマイモをどのように越冬させるかは対馬の人々にとって喫緊の課題。そのソリューションとしてせんが生まれた。発酵によってデンプンを取り出すと腐敗することなく長期保存できる。乾燥団子として備蓄しておけばいつでも食べたいときに団子や麺として腹を満たすことができる。厳しい冬を生き延びるために、千の手間をかけ、千の知恵をこらす。

発酵は、閉ざされた土地でサバイバルするための叡智の結晶。そんなことを強く再確認させてくれる素晴らしい文化だ。

＊

佐賀の玄界灘に面した港町、呼子（よぶこ）。対馬から壱岐島方面へと海を下ったところにある、朝鮮半島の本土側の玄関口だ。

「あれ、佐賀の玄界灘？　どこかで聞いたような……」

よく覚えてたね。実はこの本の冒頭に出てきた、僕の母方の実家はこのあたり。[*10]僕が幼少期に食べた「松浦漬け」を訪ねにやってきた。九州では知る人ぞ知る珍味、松浦漬訪ねて聞いた松浦漬けと呼子の町のエピソードはなかなか興味深いものだった。松浦漬本舗を骨を酒粕漬けにするという、かなり不思議な発想で醸されたプロダクト。松浦漬本舗け。呼子にある松浦漬本舗が一四〇年ほど前につくり始めた発酵食品だ。鯨の上顎の軟

今日ではイカの港で知られる呼子だが、江戸時代初期から昭和三〇年代初めの頃までずっと、北九州における有力な捕鯨地だった。そこで中尾甚六という鯨大尽があらわれ、それが引き継がれて捕鯨会社へと発展していく。呼子には遊郭の名残があり、子どもの頃は「なんでひなびた町にこんなものが……」と不思議だった。しかしそれには理由があった。鯨漁が盛んだった昭和初期の呼子の写真を見ると、二五m近くありそうな巨大な鯨のまわりに人がごった返している。

鯨漁は人と富を呼び寄せる「海の基幹産業」だったのだ。

松浦漬けは、そんな鯨の町から生まれた文化。捕鯨会社の有力パトロンである山下家の妻ツルが、鯨の使いみちのない部位をなんとか食べられるようにできないか……と考案したものだ。巨大な鯨は、食用肉以外にも機械油や釣り竿の部品に使ったりと、骨や皮や歯や内臓まで、様々な用途があった。

そして。そのなかでも用途に困る、脂を搾ったあとの軟骨。これを加工して食べ物にできないか……となった時に、ツルの嫁ぎ先である酒蔵の酒粕で漬けてしまおう！　というアイデアが到来。そして世にも珍しい、鯨を使った発酵珍味が誕生したのだった…

…。

さて気になる松浦漬けの製法。松浦漬本舗の営業統括の浪口さんに聞いてみたところ「松浦漬けの製法は一子相伝、門外不出のものでして……」と断りがあった上で、ざっくりとアウトラインを教えてもらった。

鯨の軟骨[*11]を油抜きして細かく刻んでから、踏み固めて空気を抜いた状態で熟成させた酒粕に、唐辛子や糖類、塩などを加えて甘辛く調味した床に漬ける。そこから数ヶ月ほど寝かせると「松浦漬け」のできあがり。酒粕のドロッとしたペーストが絡んだ、一見するとイカの刺し身のような白い物体。口に入れてみると、

「おお……！　この食感は……キクラゲ!?」

漬け床の甘味や辛味、酒粕特有のあのかぐわしい香りとコクがキクラゲ状ナンコツを嚙みしめるごとに押し寄せてくるというなんともユニークな味わいだコレ！　今や高級珍味として知られる松浦漬け、僕が子どものときはもうちょっとカジュアルに食べられたもの。ご飯にかけて食べれば無限おかわりができるし、お茶漬けの具にするのも最高。そしてオトナになった今、どう考えても酒の肴にしたい欲望が抑えられない……！　佐賀の名だたる銘酒を利き酒しながら松浦漬けをチビチビ食べたら……と想像するだけで

悶絶しそう。
鯨の軟骨自体はほとんど味がないのだけれど、食感はプリプリと歯ごたえがあるので漬物にしてみたら美味しいのではないか、なんとかして鯨をたべ尽くしたい！という捕鯨一族・山下家の執念から生まれたものが、この松浦漬けなのだ。

……あれっ、山下家？　僕の母の旧姓、山下だ！

「あ、もしもし、おかんですか？　ヒラクです。今、呼子いてさ。松浦漬けつくった山下家って知ってる？」
「あらそう。そもそもうちの集落は、外からの血が入らない土地で山下姓がすごく多いの。みんな代々漁師一族で、このあたりの土地は戦国時代よりも前からいた水軍の一族が古いルーツみたい。酒蔵？　山下酒造場でしょ？　鯨大尽だった中尾家の酒蔵で、私が子どもの頃まで営業してたわよ」

発酵文化を探しにきたら、自分のルーツも見つかってしまった。僕のおじいちゃんが漁師なのもちゃんと系譜があったのだ。この土地は、北九州と朝鮮半島、中国大陸を行ったり来たりしていた海洋民族[*12]の拠点だったようだ。中尾家や山下家は近代化とともに離散を繰り返しながら、海の民族のルーツをかろうじて受け継いできた。松浦漬けは捕

鯨一族の辿った運命を記録した、記憶の方舟だった。

「鯨漁に出る前に、漁師たちを乗せた船はクルクルと三度港を回って漁に出ていきます。鯨は神様の化身、神様の世界に行くための儀式だったのでしょうねえ」

と浪口さんがモノクロの鯨の写真を見ながらポツリと言った。

今はすっかり静かになった呼子の町。家の軒先では漁師たちが釣り竿にエサを仕込んだり、網を編んだり。僕はかつて捕鯨船がクルクルと回った港の前に座ってじっと海を見ていた。祖父の記憶がよみがえる、なつかしい、なつかしい潮風の匂いだ。

＊1　度重なる文明の興亡による民族移動で、漢民族以外の人々が渡来してきたらしい。
＊2　僕の住む山梨や長野の山岳地帯では、縄文の遺跡はたくさんあるが弥生の痕跡は少ない。
＊3　邪馬台国はじめ、豪族支配による小国連合の時代。
＊4　青森県十和田にある、納豆と麹をあわせた謎の郷土料理。
＊5　山形県鶴岡に伝わるきゅうりのピクルス。
＊6　宮城県気仙沼の漁師料理。詳しくは第九章に。
＊7　見知らぬ人がカウンターに座っていると「今日はどこから？」という展開になりやすい。
＊8　第四章に書いた青ヶ島のヘリ事件であわや欠席……！　という事態になったＮＨＫの生放送を宮崎で見ていた人がいた。

＊9　芋焼酎の主都は鹿児島。県内に一一四の焼酎蔵がある。
＊10　佐賀県唐津市北部の突端。呼子、湊、名護屋など。秀吉の朝鮮出兵の拠点となった。
＊11　かぶらとも言う。コリコリ、プルプルだが無味で加工しないと美味しくない。
＊12　長崎と佐賀北岸、朝鮮半島を行き来していた松浦党という海の豪族がそのルーツ。

第九章　記憶の方舟

海があり、山があり、街があり、島がある。様々な土地で生きる、様々な人々の織りなしてきた土地の記憶。夏の日差しに汗ばみ、冬の吹雪に凍えながら、数え切れないほどの素晴らしい景色と人の顔に出会った。その記録を振り返り、まとめていくなかで、僕はひとつの大きな問いに向かい合うことになった。

日本とは、日本人とは何か？

鯨とともに生き、藍の葉で衣服を染め、芋に千の手間をかける。米に微生物をつけて、酒や調味料を醸す。それを杉と竹でつくった巨大な桶に仕込み、国を動かす巨大な産業に育てた。山と海の恵みを塩に漬け、野ブドウを酒に変え、隔絶された離島のなかでも素晴らしい食文化をつくりだした。発酵文化は日本人の生きる原動力となってきた。

なぜこんなにも多様な文化が生み出されたのか？

それは日本人が優れた工夫の知恵を持っていた民族だからだ、では答えにならない。そうではなく、この列島に生きる人たちの多くが、足りないものばかりの、厳しい環境で生きてきたからなのだ。制限された世界を生き延びるために、無名の人々が何代もかけてその土地にあるものと、目に見えない自然の力を組み合わせる方法をアップデートさせていった。その試行錯誤のアプローチに多様性があらわれる。

今回旅した場所の多くが、かつて（あるいは今も）閉ざされた場所だった。急峻な山々に、絶海に、厳しい冬や氷に閉じ込められたなかで、他の場所から自由にモノを運んでくることもできない。

不思議なことだが「何でも自由に使うことができない」ということが、創造性を生み出す。

放っておいても食物が実り、水害も干ばつも台風も地震もなければ、食べること、生きることにここまでの手間と工夫をかける必要はなかったはずだ。「無い」ということが、「有るようにする」という意志を生む。この意志の発露が、生きるということだ。

制限があるなかでいかに生き延びていくか。その切実さが個人の発想の飛躍を起こし、飛躍がコミュニティに受け継がれていくと文化になる。文化ができると楽しみが生まれ、楽しみが価値をつくり、その価値がコミュニティの絆になる。発酵の歴史は、生き延びる「知恵」がよりよく暮らすための「楽しみ」になり、その楽しみを共有するために

「コミュニティ」になっていく過程を辿ること。つまり日本における文化の形成パターンを解明していくことだ。

僕が目の当たりにしてきたのは、どんな状況においてもよりよく生きようとする人々の意志。その意志の強さ、しなやかさ、多様さだったのだ。

*

それでは最後に日本の発酵文化の多様性を生み出すことになった原動力を考えてみよう。

第一に、自然環境の不安定さと厳しさ。頻繁に食糧不足が起きる環境のなかで、今ある食材を保存食にする必要が生じた。

第二に、微生物的環境。温暖湿潤で、かつ土地によって気候風土に特徴のある日本列島には、様々な微生物が棲息している。様々ということは、当然腐敗をもたらす微生物も多い。腐敗のリスクを防ぐために、まず塩を使うことにした。するとたまたま塩に強い微生物が、人間に良い発酵作用をもたらすことになった。これが魚醤や漬物の文化へと発展していく。また水田に棲息していた、毒をもたない特殊なカビ＝麹菌の存在も大きかった。このカビが和食独特の風味をもたらす麹の文化を生み、シンプルな素材から複雑な風味をつくり出すことを可能にした。日本（そして東アジア一帯）の発酵食品の重層的な風味は、多彩な酵素を使って様々な分解作用を行うカビが寄与する部分も大きい。[*1]

第三に、仏教による肉食の禁止もある。[*2] 家畜の肉や乳は、生命維持に欠かせないタンパク質を消化で体に負担をかけることなく摂取することができる。しかしその近道が禁じられたので、植物や魚介類でタンパク質を補うしかない。が、旬が限られていて、家畜のように望むときに食べることができないので何かしらの加工技術を施す必要があった。それが「せん」やなれずしのようなユニークな文化を生んだ。

ただでさえ厳しい環境のなかで、肉を食べることができず、しかもせっかく手に入れた食べ物がすぐ腐る。地震や津波や台風で作物が全滅する。このビハインドを覆すために発酵という技術を磨き続けたのだ。

穀物や魚を醸して神に捧げる。発酵と信仰との深いつながりは、自分たちを生かしも殺しもする気まぐれな自然への畏怖であり、同時にその気まぐれさを押し返すための意志として自分たちの技術＝発酵の誇示でもあったのかもしれない。しかしその技術の核を成す微生物たちもまた目に見えない、コントロールし難い超自然の存在でもある。

大きな自然の脅威を押し返す、小さな自然の不思議なちから。この奇跡への感謝が信仰となり、祭りとなった。そして小さな自然を司る醸造家は時に神官として、時に文化と経済の守護者として、時にその土地の味を醸す優れた料理人として、目に見えない生物の気配を感知する能力を発揮してきた。厳しい世界を生き抜く意志を体現する存在だ。

＊

現代になって、日本はかつての生存の脅威を征服しつつあるように見える。農業技術の発達によって、一年中いつでも作物を栽培でき、加工技術の発達によって手間をかけずとも食品を保存できるようになり、流通技術の発達によって地球の反対側からでも生鮮食品を運んでくることができる。かつては手に入らなかった、食べやすく精製された小麦粉や砂糖、肉や牛乳も当たり前のように口にすることができる。

この本に出てくる、必ずしも食べやすいわけではないローカルな発酵食の少なからずが「厳しい世界を生き延びる」という役割を終えつつあるのだろうか。その土地の人々の記憶から急速にフェードアウトしているのは紛れもない事実だ。必要のなくなった文化は、消えてしまう運命にあるのだろうか？

宮城県気仙沼に「あざら」という郷土食がある。これはメヌケ[*3]という雑魚のアラの部分と、古くて酸っぱくなった白菜の古漬けを酒粕で煮るという「とにかく食べられそうなものは何ひとつ捨てたくない！」という確固たる信念が具現化したスゴいレシピだ。

このあざらを探していくつかの食品メーカーや飲食店にコンタクトを取ってみたところ、

「前までやっていたが今はつくっていない」

という返事が相次いだ。ようやくたどり着いたのが、「のんびり酒場ニコル」という仙台にあるイマドキの飲み屋さんだった。そこの店主、伏谷さんが気仙沼のお母さんのもとに通って、あざらのつくりかたを習得し、それを自分の店のメニューとして提供していたんだね。この伏谷さんのあざら、メヌケではなくタラのアラを使ってつくったものだった。

「気仙沼では、二〇一一年の震災以降、メヌケの水揚げが減ってしまって。それまであざらを手づくりしていたお年寄りも避難してしまったり、メヌケがなくてつくるのをやめてしまったりした人も多い。その状況に危機感を持って、まだ間に合ううちにと思って習いに行ったんです」

と伏谷さんは言う。タラを使うことについて、

「メヌケにこだわっていると、あざら自体が滅びてしまうかもしれません。そもそもあざらは普通に食べたら美味しくないものを組み合わせて美味しいものをつくる料理。大

事なのは『どうつくるか』ではなく『どうしてつくったか』だと思うんです」

この言葉には胸を突かれた。

いかに文化を未来に受け継いでいくのか。ここには大事なヒントがある。伝統の本質を「様式」だと捉えると文化は変動の時代を生き抜くことはできない。「様式」ではなく「発想」、スタイルではなくコンセプトこそが文化の核なのだ。

魚がとれない。畑をやる人がいない。水が変わった、土が変わった。時代が変わり、人が変わった……。この「無い」状態を「有るようにする」意志こそが生きたデザインの源泉だ。文化は「危機によって消える」のではなく「危機だから生き延びる」もののはずだ。

あざらは味噌も醤油も使わず、漬物の酸味と酒粕の旨味で味付けをするので塩味が薄く、思いのほか食べやすい。身の部分と違って食感がよくないタラのアラが濃厚な味わいになってとても美味しい。マイナスの掛け合わせがプラスに転じる素敵なデザインだ。

「もしよければ、ワインを合わせてみます？」

と辛口の白ワインをグラスに注いでくれた。意外なペアリングのように思えるが、実によく合う。そうか。あざらは和製ブイヤベースなのだ。「お年寄りが好む郷土料理」という先入観が、シチュエーションを変える、文脈を編集することによって覆され、モダンな食体験として蘇る。

ローカル文化が消えるか生き延びるかを決めるのは時代の必然ではなく、個人の創造性。かつての役割を終えたならば、新しい役割を発明すればいいのだ。

「いかに死なずに生き延びるか」が至上命題とされた時代が終わり、成熟した日本に生きる僕たちの次の命題は、「いかに希望を持って生きられるか」になるのだろう。自分の暮らす土地が、自分を育んだ文化が未来も存続する。自分の存在が肯定されるための、自分という個のローカリティを担保するための希望。この国の、なるべく多くの土地でこの希望を感じられるようにする。そのときに、土地の記憶を宿し、風土を体現する発酵文化はローカリティの拠り所、希望の拠り所になるはずだ。みんなで食卓を囲みながら、何百年ものあいだ醸された歴史を食べて血肉にする。記憶を伝達するのは言葉だけではない。食べることは学ぶこと。つくることは思い出すことだ。

テクノロジーの光が世界中を照らし、豊かな世界を映し出した。僕ももちろんその恩恵を受けて育ってきた。けれどその光の届かない暗がりのなかにまた違うかたちの豊かさがある。その豊かさは土地の数だけ、幸せを願う人の数だけ無限にある。

暮らしのなかの暗さに目を凝らそう。そこには過去から命をつないできた、忘れられた存在の、忘れられた小さな声、小さな光が瞬いている。耳を傾けて、思い出そう。まだまだ過去とのつながりは断ち切られていない。過去とつながっているということは、未来への道があるということだ。危機の種類が変われば、希望もまた変わる。

これは日本の人々がどのように生きてきたかの歴史。そしてこの国で僕たちがどのように生きるかの未来。記憶の方舟であり、未来へ進むための舟だ。

漕ぎ出せ、星の瞬きが消える前に。

＊1　乳酸菌などの細菌類と比べると、複雑に進化したカビはたくさんの酵素を持つ。コウジカビ以外にもテンペなどをつくるカビも同様。
＊2　仔細に見ると例外も多い。諏訪の鹿食免（かじきめん）など、土着の信仰に結びついたものもある。ウサギや鳥は日常的に食べられていたようだ。
＊3　水深二〇〇m以下に棲む赤い深海魚。水揚げされると水圧の変化で目が飛び出す（抜ける）ことからメヌケと言う。

おわりに　本書で取り上げられなかった発酵食品

四七都道府県を巡る旅、いかがだったでしょうか？
本文とコラムでなるべく多くの発酵文化を取り上げるよう頑張ったのですが、泣く泣く掲載を諦めたものをおわりにかえてざっと紹介します。

茨城県はおなじみ水戸の「**納豆**」。そこから太平洋沿いを上って岩手県西和賀の雪に埋めて発酵させる「**雪納豆**」。さらに北上した青森の十和田では、手づくりに失敗した納豆に麹を入れ、さらに乳酸発酵させる「**ごど**」という驚くべき発酵食品が地元のお母さんたちによってひっそりと継承されています。

山形県の鶴岡では、半端なキュウリを塩漬けにし、あがってきた水分でキュウリを煮詰め、それをまた塩漬けにし……という作業を何度も繰り返すピクルスのような味の「**煎じきうり**」のレシピを発掘。発酵大国・石川県では、白山でフグの卵巣をへしこづけにした珍味の最高峰「**ふぐの子**」、お隣の福井県では若狭湾最奥の田烏（たがらす）という集落でつくられる、サバのぬか漬けをさらに米で漬け込む「**サバのへしこなれずし**」というスゴいレシピをピックアップ。

千葉県九十九里では、かつて綿花栽培の肥料としてイワシ漁が盛んでした。輸入綿花が主流になるとイワシを食べるようになり、「イワシのゴマ漬け」が生まれます。埼玉県秩父、武甲山（ぶこうざん）のふもとで栽培される雪白体菜（せっぱくたいさい）でつくる「しゃくし菜漬け」は美しい漬物です。

島根県松江〜出雲の、紅白の勾玉のような「津田カブ漬け」、山口県萩近くの佐々並（ささなみ）という集落の隠し田んぼで育てたもち米を使う甘酒「あまぎゃあ（甘粥）」は山陰独特の気候風土を伝えています。

僕のホーム山梨の甲府盆地特産、地ブドウを使って醸す「甲州ワイン」、お隣長野県の木曾の塩を使わない「すんき漬け」、東京伊豆諸島の臭いもの好きの鉄板食品「くさや」、高知の嶺北（れいほく）地方のカビと乳酸菌で醸した「碁石茶」は前作『発酵文化人類学』で紹介した通り。なお、徳島県上勝周辺の山間地でつくられる「阿波晩茶」も碁石茶と類似した乳酸菌で醸すお茶です。

福岡県博多といえば「明太子」！　スケトウダラの卵を発酵調味液に漬けるとドロド

ロの白子がプリプリに。大分県日田の「アユのうるか」は、内臓だけでなく身も使う、ブルーチーズのような風味。

鹿児島県奄美諸島のソテツの実を水と空気にさらして解毒した後に麴菌をつける「なり」、沖縄の琉球王朝の宮廷レシピ、島豆腐に納豆菌の一種をつけ、泡盛で仕込んだ塩麴に漬ける「豆腐よう」もユニークな発酵食品なのですが、あまりにも背景が奥深いのでまたこの地域だけを取り上げたお話を書けたらいいなと思っています。

今回の旅で紹介したもの以外にもまだまだたくさんの発酵レシピが日本各地にあります。「なんでウチの町の発酵食品を紹介しないんだ！」と憤慨しているそこのあなた！ ぜひその価値を世に知らしめていただければ僕はとっても嬉しい。

日本は発酵の国。発酵食品の数だけその土地の文化がある。どうぞあなたも発酵を巡る旅に出てみてください。

それではまたどこかの海・山・島・街で会いましょう。小倉ヒラクでした。

文庫版おまけ

本編の旅のルートから外れていたので、単行本には収録できなかったエピソードを二つ、番外編としてご紹介します。一つ目は沖縄の「豆腐よう」、二つ目は青森の「ごど」の知られざる歴史をご一読あれ！

琉球の宮廷レシピ

沖縄を代表する発酵珍味といえば豆腐よう。沖縄料理屋さんでつまんでみた人は多くても、どうやって作られるかは知られていない。豆腐ようは端的にいえば「豆腐ウォッシュチーズの塩麴漬け」だ。本州で売られている豆腐よりカタい中国的な島豆腐に納豆菌の一種をつけネバネバにする。それをさらに水のかわりにアルコールで仕込んだ塩麴に漬け込んで熟成させていく。その特徴的な赤色は、紅麴という赤いカビの発酵作用で作られるものだ。日本・本州の発酵文化の枠内ではカテゴライズ不可能な摩訶不思議なレシピは、実は中国南部〜台湾の、麴に漬け込んで豆腐をドロドロにしていく「腐乳（フールー）」というレシピの延長線上にある。豆腐ようは日本から見てみると不思議だが、中国から見てみると「ああアレね」となる食べ物なんだね。

でね。豆腐ようの祖先ともいえる「腐乳」には「青」と「白」と「赤」の三つの色のカテゴリーがある。これは微生物の色に起因するもので、「青腐乳」は枯草菌や青カビ、各種細菌類などで複雑に発酵した凄まじい臭気を放つスゴい食べ物で「臭豆腐」と呼ばれたりする。これを揚げたものは屋台の定番で、五〇メートルくらい先からでも臭いがわかる。日本の文化では到底受容されなさそうなハードコアな食文化だ（僕は好きだけど）。

「白腐乳」は酒や調味料に使うような色の薄いカビで作る麹で漬け込んだもので、日本人にも比較的馴染みのある味だ。そして「赤腐乳」が南国特有の赤いカビ（モナスクス属のカビ）の麹で漬け込む、独特の酸味が特徴のレシピ。

「えっと、つまり沖縄の豆腐ようは赤腐乳の系譜ってこと？」

それがね、もしかしたら起源はどうも白腐乳かもしれないんだよね。

黄麹菌で漬けるオリジナルレシピ

豆腐ようの製法と起源を探るべく、沖縄県内のメーカーにコンタクトを取ってみたのだが、片っ端から「ウチは見学はNGなので……」という答え。そのなかでしつこく食い下がって対応してもらえることになったのが、宜野湾市にある琉球うりずん物産だ。見たところ小規模な町工場的メーカーなのだが、話を聞いてビックリ！　戦後はじめて豆腐ようの量産に成功した由緒ある会社だった。

「豆腐ようが商品化されて市場に出回るようになったのは、沖縄が日本に返還されて以降のこと。それまでは宮廷の料理人が手づくりしていた秘密のレシピだったようなんです」

と社長の久高さん。お父さんが沖縄の郷土食の研究をしているうちにたまたま豆腐ようの資料を見つけ（七〇年代）、そこから当時まだ存命だった宮廷料理人を訪ねて教えてもらったレシピをもとに豆腐ようを製造しはじめたそうだ。

「どうも宮廷のレシピでは、白い豆腐ようと赤い豆腐ようの二つがあったようです。ただどちらも作り方としては紅麹ではなく一般的な黄麹（酒や調味料に使うもの）がメインのもの。赤い豆腐ようは、白い豆腐ように最後に紅麹を混ぜて着色する程度だったようです。色が赤いとめでたいので、特別な機会に重宝されたのかもしれません」

戦前から戦後しばらくまで、紅麹は中国や台湾から輸入する希少なもので、着色料として重宝されたという。クラシック豆腐ようの基本の風味は「白腐乳」だったようだ。そして沖縄が復帰した後、沖縄らしいローカル物産品を作ろう！という機運が高まった。農学博士の安田正昭さんをはじめとする研究チームが組まれ、沖縄県内での紅麹の製造技術が確立されていき、やがて今多くのメーカーが行っている、漬け込み時から紅麹を使う「赤腐乳」的な豆腐ようが広まっていき、宮廷レシピから沖縄の風土を象徴する郷土食になったようだ。

さてこの豆腐よう。大陸的な豆腐の発酵臭と麹の旨味とアルコールっぽい香りが入り混じったなんともいえない風味で、僕は泡盛の度数の強い古酒のストレートと合わせるのが大好きだ。本州とはまた違った南国の複雑な美意識が味わえる至高のペアリング。できれば春先くらいに、海辺近くで波の音を聴きながらゆっくり沖縄の夕暮れと味わいたいものだ。

ごど

「僕のいる十和田に、大豆を使った不思議な発酵食品があるそうなんです。納豆のような醤油のような……。地元のお母さんが細々手づくりしているみたいなんですけど、一緒に行ってみませんか?」

青森に住む博学でスマートな友人、安藤さんに青森の面白い食文化がないか聞いてみたら、実に魅力的なお誘いがあった。二つ返事で「行きます!」と十和田に飛んだら、そこには衝撃的なまでにハードコアな発酵文化があったんだよ。

失敗納豆から生まれる超絶旨味

青森県南部の八戸から車で一時間弱、東北らしい平坦な平野となだらかな山々を抜けていくと十和田につく。洒落者、安藤さんのルノーの黄色い旧式カングーに乗ってローカルお母さんたちの仕込み現場に向かった。

いったい「ごど」とは何なのか?

ざっくり言うと、納豆に麴を混ぜ、さらに乳酸発酵させた納豆×麴×乳酸発酵の「ラーメンのトッピング全部盛り」みたいなスゴい発酵食品なんだね。見た目はドロッとした白い麴が混じった納豆、という風情。発酵が浅いうちはご飯にかけたりおかずとして食べ、発酵が進んでドロドロに溶けたものは醬(ひしお)のように調味料として使ったりもする。

「元々は、手づくりでちょっと失敗しちゃった納豆をなんとか美味しく食べようとできたものみたい。麴とあわせると甘くて美味しくなるでしょう」

とお母さんの一人が言う。十和田はじめ青森県南部地方は、今でこそ稲作が盛んだが、かつて近代的な治水が施されるまでは、湿地が多く冷涼な気候で稲のほかに豆を主食として多く食べる文化があったそうだ。その流れで家庭では当たり前のように納豆が手づくりされていた。

でね。納豆手づくりしたことある人だったらわかるんだけど、納豆って発酵させるのに四〇度以上の温度が必要で、昔は囲炉裏や炬燵の熱を利用していたんだけど熱が弱いと発酵が進まなくてべしゃっとしたイマイチな納豆もどきができてしまう。「ごど」は、どうもそういう納豆もどきをなんとかして食べてやろう！　という発想から出てきたものらしい。

それでは「ごど」の作り方を説明しよう。まず大豆を柔らかく煮て、そこに納豆菌の種（つまり納豆。ヨーグルトを作る時に既製のヨーグルトを種として入れるのと同じ原理）を入れて一～二日保温し納豆にする。そしてできた納豆に麴と塩（五パーセント以下の少量）、人によっては飯米を混ぜてさらに数日発酵させる。すると麴の旨味とともに、乳酸発酵による酸味が加わり、ネバネバ、旨い、甘い、酸っぱいという複雑極まりない風味が生まれる。旨味が強いうちはおかずとして扱い、酸味が強くなってくると調味料として扱う。

お母さんのスタイルウォーズ

「ごど」は発酵を体系的に学んだ者からするとびっくり仰天のレシピだ。酒蔵や味噌蔵が仕込みの時期に納豆を食べるのを禁止するように、麹と納豆は相性が悪いとされている。コウジカビよりも繁殖力の強い納豆菌は、麹の発酵を台無しにしてしまう。ところが「ごど」では、納豆に確信犯的に麹を混ぜ、そこにさらに乳酸発酵を呼び込むという、発酵学でいうところの「コンタミネーション（雑菌汚染）」を意図的にやってしまっている。十和田のお母さんたちによるハードコア・パンクなのであるよ。しかもめちゃくちゃ美味いんだコレが。納豆のかぐわしい風味と麹の甘味とコク、トドメに乳酸菌の酸味が加わり、口のなかに和食特有の発酵旨味の嵐が吹き荒れる衝撃の味わいなんだよ。

しかも。「ごど」にはスタイルがある。僕が取材した二人のお母さんはそれぞれ異なった美学を持っていた。一人は発酵初期の麹の甘味を押し出した「フレッシュごど」が美味しいと言い、もう一人は発酵が進んで酸味が濃厚になった「エイジングごど」が美味しいと言う。作るお母さんによって正解が違う、ヒップホップで言うところの「スタイルウォーズ」があるんだね。

十和田のお母さんたちによって受け継がれてきた超ローカル発酵食「ごど」には、不思議な現代性がある。原料は大豆、米（麹）、塩なので日本全国どこでも容易に調達できる。そして難しい技術や高価な設備もいらない。そして和食の発酵文化のいいとこ取り的なリッチな旨味がある。その衝撃の美味しさに僕は思わず、

「お母さん、このレシピ僕にも教えて！」

と前のめりになってしまった。そしてこの原稿を書いているさなかに僕は自分の手で「ごど」の再現に成功した。この最強すぎるレシピは、未来の発酵ラバーたちに受け継がれるべきマスターピースなのだ。

文庫版あとがき

本書は二〇一九年に渋谷ヒカリエ d47 MUSEUM で開催された展覧会『Fermentation Tourism Nippon～発酵から再発見する日本の旅』がきっかけになって生まれた。展示のために四七都道府県の発酵文化を調査する旅を続けるなかで、制作チームに定期的に送っていた旅のメモと写真がもとになってこの旅行記が生まれたのだ。当初は展覧会の図録を制作するはずだったのだが、展覧会とは独立した読み物になったことで多くの人に読まれ、なんと文庫にまでなってしまったのは望外の喜びだ。

刊行から三年が経った。あとがきの場を借りて、本書がきっかけとなって生まれた「その後のストーリー」を紹介しよう。

まず、本書に登場する各地の発酵食品を実際に手に取ることができるお店『発酵デパートメント』が二〇二〇年の四月に東京下北沢にオープンした。展覧会のミュージアムショップが発展し、常時四〇〇～五〇〇店の各地のユニークな発酵食品を取り扱っている。新型コロナウイルス感染拡大による緊急事態宣言とともに開店したのだが、自炊のニーズが追い風となって、なかなかの盛況ぶりだ。近所の親子連れや、下北に集うお酒落な若者たちが醤油や米酢などの調味料やしば漬けや松浦漬けのような珍味を楽しそうに手に取る姿を見ると、日本のローカル文化の新陳代謝を感じる。

二二年五月には、本書を原作にしたNHKのドキュメンタリー番組『発酵大国にっぽん』が放送された。秋田県八森のしょっつるや新潟県妙高のかんずりなど、旅のハイライトが美しい映像になった。日本各地の自然と向かい合いながら生きる人々の暮らしの貴重なアーカイブになるだろう（本書執筆時点でも何度も再放送され、テレビ業界でも高評価のようだ）。

同年九月からは、北陸でのプロジェクトがスタート。北陸三県の発酵文化を調査・展示する『Fermentation Tourism Hokuriku』プロジェクトが立ち上がり、福井県金津創作の森美術館で大規模な展覧会が開催され、『発酵ツーリズムほくりく』が出版された。本書は日本全国の発酵文化のアウトラインを示すものだが、北陸のプロジェクトでは特定の地域をさらに深掘りして体系化している。このようなプロジェクトが全国で行われれば、各地域の発酵文化のデータベースができあがる。僕のライフワークとして地道に続けていきたいと思う。

＊

次に本書に登場した醸造蔵との「その後のストーリー」を報告する。

福島県会津若松の石橋糀店。本書の取材時では旦那さんは「もうやめちゃおうかな……」と元気がなかったのだが、展覧会と下北沢のお店で三五八漬けが大ブレイク。新たに仕事を手伝ってくれる人もあらわれ、旦那さんは大張り切りだ。いちどご家族から電話で「さいきんお父さん、休みも返上で麹を作り続けていて。あんまり売りすぎないようにしてくださいね」と釘をさされたりしたことも……。石橋さん、くれぐれもご無理なさらず。

青ヶ島ともご縁が続いている。青酎(あおちゅう)の成分分析プロジェクトにも関わり、すっかり青酎の伝道師になってしまった。本書にも登場する奥山晃さんはもちろん、島内でネイチャーガイドや太鼓奏者を務める貴重な若手、荒井智史さんとも定期的に会うようになり、島のこれからの未来について対話をする楽しい機会をもらっている。

栃木県今市の「たまり漬」をつくる上澤梅太郎商店とも、下北沢のお店ができて以来親しい仲が続いている。若い世代向けの商品を一緒に開発したり、イベントをやったりと、若旦那の上澤佑基さんとはすっかり同年代の発酵仲間。青ヶ島でも今市でも、全国にセンスと志をともにする同年代の仲間ができることは愉快で心強いことだ。

終盤のエピソードに登場する佐賀県呼子の松浦漬け。本書と展覧会により各地で話題となり、呼子の捕鯨の記憶を伝える旦那衆、その名も「鯨組」に呼子に招待してもらった。その際に捕鯨文化の貴重な資料を見せてもらったり、捕鯨の舞台となった小島へ連れて行ってもらったりと、今まで知らなかった自分のルーツの扉が開くことになった。

呼子の名物はイカなのだが、気候変動により年々漁獲量が減っている。これまでのイカ頼りから脱却して、呼子の元々のシンボルである鯨をテーマにまちづくりができないか？　と、このご縁をきっかけに、呼子で活動する人々から話をもらい、ささやかながら呼子を盛り上げるお手伝いもさせてもらっている。

文庫版おまけで紹介した青森県十和田の「ごど」も印象的だ。十和田に住む人ですらほとんど知らなかったごどが、本書出版後に料理家たちや発酵ファンのあいだで話題になり、地元十和田でも七〇代以上のおかあさん達がつくっていたごどの仕込みを継承する、僕と同年代の矢部聖子さんが登場。バイタリティ溢れる彼女はごどを旗印に地域の食文化を伝える活動を開始。やがて新聞やテレビ局もごどに注目、今やすっかり十和田の名物料理になってしまった。

＊

この三年間、各地で起こった数多くのミラクルを振り返ってみると、つくづく発酵は、いろいろな世代や立場の人たちをつなぎ、過去と未来をつなげる役割を果たす存在なのだと実感する。これまで世界各地の辺境を旅してきたが、本書での八カ月にわたる発酵の旅はこれまで味わったことのない、ディープで常識を揺さぶられる体験の連続だった。

何の変哲もないニュータウンの街角を一つ曲がると、突然江戸時代の町並みにタイムスリップしてしまう。古民家の縁側で日向ぼっこをしているおかあさんと世間話をすると、現代人の感覚とはかけはなれた死生観に出くわしてしまう。土着の発酵文化が根付く場所には、途切れることなく積み重なってきた分厚い時間が層をなしている。そんな土地で出会う人の血脈には、いくつもの違う時代の時間が流れている。旅のあいだ、僕はある瞬間には現代を歩き、別の瞬間には中世を、また次の瞬間には神話の時代を歩いた。たくさんの時間が自分のなかに流れていく血のうねりを感じた。

それは見知らぬ土地を往くのと同時に、自分という存在の奥へ奥へと分け入っていく旅路だった。

未来に向かってどこまで前に進めるか。その距離の長さは、どこまで深く過去とつながれるかにかかっている。そこには厳しい条件下において、足りないものだらけの環境で生き延びてきた知恵がある。技術が古くなっても、困難を乗り越える知恵は時代を超える。

その土地を外の人に語ろうとする時、つい「豊かなこと、特別なこと」を強調する。しかし、発酵においては、「足りないこと、当たり前のこと」のなかにこそ、その土地らしさ、素晴らしさが宿る。この旅以降に僕が立ち会ったのは、過去と未来を再びつなげようとする各地のみんなの頼もしい歩みだったのだ。

ここ三年間で世界の国境は閉ざされ、資源の限界が明らかになった。遠いところから欲しいものを好きなだけ運び込んでこれる時代はもう終わりにさしかかっている。再び制限と向き合わなければいけない時代、発酵から学ぶことはたくさんあるはずだ。

最後に文庫版の装丁となった八丁味噌について。愛知県岡崎八帖町で長らく継承されてきたこの発酵文化は、様々な政治的思惑に巻き込まれ、ずっと守り続けてきた「八丁味噌」の看板を掲げられなくなる危機に直面している。こういう危機が数百年のあいだ何度も繰り返されてきたのだろう。そんな理不尽で名前が奪われないためにも、僕たちひとりひとりが為政者の思惑に影響されない「野の歴史」を記憶していくことが大切だ。本書が各地の発酵文化のように一〇〇年二〇〇年と静かに読みつがれていくことを僕は願っている。

特別対談

斎藤(さいとう)　工(たくみ)（俳優・映画監督）×小倉(おぐら)ヒラク

斎藤　今回はこの対談をお受けくださって本当にありがとうございます。

小倉　僕もとても嬉しかったです。

斎藤　僕がヒラクさんに出会ったのはコロナがきっかけだったりしたんですね。自粛期間中に発酵食品というものに目がいくようになって、模索しているうちにヒラクさんの著書に出会い、発酵に出会い、発酵食品の秘めた力に魅了されるようになりました。自宅でぬか漬けや味噌やキムチといった発酵食品を手作りし、キウイやブルーベリーなどを漬け込んだ発酵シロップを撮影現場にも持参するほどはまっています。

小倉　僕も発酵の世界に入ってから、自分の中の世界観が変わっていき、より発酵のことが知りたいと思うようになりました。

斎藤　今日はヒラクさんにしか見えていない発酵の今と未来をいち早く伺えたらと思っています。ヒラクさんはそもそも発酵に出会ったきっかけは何だったんですか？

小倉　僕はもともと東京でデザインの仕事をしていて、駆け出しだったころに、いっぱい働いていっぱい遊んでということを繰り返していたら倒れちゃいまして。もともと生まれつき虚弱体質でして、小さいころには喘息とかアトピーとかいろいろありまして、そういうものがぶり返してしまったんです。朝起きても一時間くらい、ふとんから起き上がれない状態のときに、たまたま同僚が味噌蔵の娘だったのですが、「私の先生に会いに行きましょう」って言ってくれて、その方が小泉武夫さんという、発酵の先生だったんです。会いに行ったら先生が僕の顔を見た瞬間、「お前は虚弱体質だな」って。「何でわかるんですか」って言ったら「顔見ればわかる」って。そして「発酵食品を食べて体を鍛えなさい」みたいなことを言われたんです。それまで食にあまり執着がなく意識もしていなかったんですが、毎朝お味噌汁を作って漬物を食べて納豆食べて、ベーシックな日本の和食を食べるようになってからちょっとずつ元気になってきたんです。発酵食品自体薬ではないので、何かの症状に効くわけではないんですが、元気になってきた理由を調べようと本を読んだりし始めました。発酵食品って単に美味しいというだけでなく、人間の体にあるミクロの構造の中で、体の中の生物と共存して、自分の体を保つ働きをしている。食べ物の中にも自然環境の中にも微生物がいっぱいいて、そういうものの共同作業の中で今の自分がいる、ということが分かったとき、「発酵ってめちゃくちゃ面白くない？」って思ったんですよ。

斎藤　僕は何でこんなに魅せられてるのか、お婆ちゃんとか母親の手作りの味噌汁がなぜ美味しいのか、漬物がなぜ美味しいのかって、微生物や発酵という概念に触れたことによって全部合点がいったんですよ。母や祖母からＤＮＡだけでなく、真菌や細菌が受け継がれて、発酵が媒介となって、さらにかわったものがおふくろの味になり、自分にとって必要なものになっていたという仕組みがあるということを知り合点がいきました。ヒラクさんはご自身が発酵に出会って、自分自身が変わっていく感覚ってありましたか？

小倉　ありました。急がなくなりました。あとは、何かのせいにすることがなくなりました。デザイナーをしていた時代は、何かを作り出すのは自分だ、と思っていたし、自分の人生は自発的意思で決めていく、という世界観でした。ところが発酵の世界に入ると、醸造家たちは「自分が作っている」とは言わないんですね。作っているのは微生物であり、自然。自分はそのお世話をしている、コーディネートをしているという考え方。それは自分の中では衝撃的でした。作るの、自分じゃないんだ！　っていう。当時の僕は、この作り手たちって、めちゃくちゃ格好いいな、って思ったんです。当時の僕は急いでイライラして、何かうまくいかないことを他人のせいにしたり自分のせいにしたりしていたんですけれども、そういうのがだんだんなくなって、いったん自分を脇に置いて世界を見られるようになった感じがありました。川の流れをただ見ているとか。

斎藤　僕は表現の世界にいる人間として仕事柄、ビジュアルとか見た目とかっていうものが役作りにおいて大事なんですけれど、それ以上に腸の状態というか（笑）、自分が演じる役柄の腸内環境ってどうなんだろう、って逆算するようになったんですね。周りに対して何か高圧的だったりバイアスをかけている人間の腸内環境ってよくないんじゃないかなと。それが役とか作品とか自分が作る映画だったり、概念としてこの二年でひっくり返ったというか。

小倉　発酵文化というのは一〇〇年、二〇〇年と歴史があり、目に見えるものと目に見えないものと、大きなものと小さなものと、昔のものと今のものとつながりがあって、僕たちのいる世界が構成されている。全体を一個一個に分断して分析して見ていくのではなくて、「ただ感じる」ということを僕はしたくて。古いものを大事にしているだけでもよくなくて、今の時代に生きている人なので作っていかなければいけないんですけれど、新しいものを作るということは、温故知新なんじゃないかと思うんですね。長い時間の流れからおのずと新しい価値が見いだされていくという。その感覚は発酵に教えてもらったという感じがあります。

斎藤　僕は一〇代の終わりにバックパッカーをしていたんです。沢木耕太郎さんの『深夜特急』の影響を受けて。

小倉　いいですね。

斎藤　僕はもともと海外志向だったんです。コロナ禍で海外に行けないということが、僕の中では大きな喪失でした。海外に行って、向こうで聞かれることって、日本の事だったりするんですよね。全然答えられない自分がいて。国内にそんなに目が向かなかったんですが、発酵というフィルターを通してみたら、世界で最も豊かな国として日本というものが見えたんです。ヒラクさんにとって国内の旅はどういう価値があるんですか。

小倉　僕も一〇代からバックパッカーをやっていて、海外をずっと回っていてヨーロッパに住んでいたりもして、いまだに海外に行くのがすごく好きで。なんとなく工さんの感じもわかるな～って思っていて。そうやってあちこち行く中で、今回この本を書くということになって、八か月間旅をしたんです。その八か月間の日本の発酵をめぐる旅がもっともディープでした。地元の人たちがずっと続けている生業の中で残っているタイムスリップしたような景色と、にわかには信じがたい精神性だったり。三〇数年生きてきたけれど、自分がこんなに奥深い世界に生きていたのを知らなかったって、打ちのめされました。すごく面白いです。「ここの土地はどういう歴史なの？」って聞いても大した答えは出てこないんです。歴史専門家の方以外は。けれど「このお寿司ってなんでこういう味なの？　どうしてこの材料を使うの？」って聞いたら、その土地の暮らしの記憶が出てくる。発酵という視点で旅をしていくと、ふだん観光や友人に会いに行ったりするのでは見れない景色が見えるし、見過ごしていたものの意味が分かる。世の中を見ることに対する解像度が上がってくる。この経験が旅の喜びの本質だと思います。

斎藤　なるほど、本当にそうですね。

小倉　僕が勉強しているのはコウジカビなんですが、すごく面白い発酵菌なんです。

斎藤　うんうん。

小倉　自分も活躍できるんですけれど、自分が活躍するのと同時に、周りを活かすことがうまい微生物で、コウジカビが働くことによって、ほかの乳酸菌や酵母菌がうまく働いてお酒ができていく。芸能界で言うとタモリさんだと思っていて。

斎藤　そうですね。周りを活かしたり、周りにチャンスを提供する。それって発酵の仕組みにちょっと似ていますね。うまみを引き出す一方で腐敗して周りに害が生まれたり。人間って二極の間にいるんじゃないかって。最近、やっと気づけたという感じがしています。

小倉　ここ二年間、工さんはだんだんコウジカビ的になっていってるんじゃないかって感じしますね。

斎藤　そうかもしれないですね（笑）。今日はありがとうございました。

小倉　ありがとうございました。

初出：『SWITCHインタビュー 達人達』（NHK）
「斎藤工×小倉ヒラク EP1」 初回放送日：二〇二二年五月二日
※放送内容を一部抜粋し修正の上、収録しました。

本書は、二〇一九年五月にD&DEPARTMENT PROJECTより刊行された単行本を加筆修正のうえ、文庫化したものです。文庫版おまけは、渋谷ヒカリエd47 MUSEUM "Fermentation Tourism Nippon" 展開催記念フリーペーパー掲載原稿を修正のうえ、再録しました。特別対談はNHK『SWITCHインタビュー 達人達』の放送内容を修正のうえ、収録しました。

日本発酵紀行

小倉ヒラク

令和4年 11月25日　初版発行
令和6年 11月25日　再版発行

発行者●山下直久

発行●株式会社KADOKAWA
〒102-8177　東京都千代田区富士見2-13-3
電話　0570-002-301（ナビダイヤル）

角川文庫 23407

印刷所●株式会社KADOKAWA
製本所●株式会社KADOKAWA

表紙画●和田三造

●お問い合わせ
https://www.kadokawa.co.jp/（「お問い合わせ」へお進みください）
※内容によっては、お答えできない場合があります。
※サポートは日本国内のみとさせていただきます。
※Japanese text only

ISBN 978-4-04-112442-0　C0195

◆◇◇

角川文庫発刊に際して

角川源義

第二次世界大戦の敗北は、軍事力の敗北であった以上に、私たちの若い文化力の敗退であった。私たちの文化が戦争に対して如何に無力であり、単なるあだ花に過ぎなかったかを、私たちは身を以て体験し痛感した。西洋近代文化の摂取にとって、明治以後八十年の歳月は決して短かすぎたとは言えない。にもかかわらず、近代文化の伝統を確立し、自由な批判と柔軟な良識に富む文化層として自らを形成することに私たちは失敗して来た。そしてこれは、各層への文化の普及滲透を任務とする出版人の責任でもあった。

一九四五年以来、私たちは再び振出しに戻り、第一歩から踏み出すことを余儀なくされた。これは大きな不幸ではあるが、反面、これまでの混沌・未熟・歪曲の中にあった我が国の文化に秩序と確たる基礎を齎らすためには絶好の機会でもある。角川書店は、このような祖国の文化的危機にあたり、微力をも顧みず再建の礎石たるべき抱負と決意とをもって出発したが、ここに創立以来の念願を果すべく角川文庫を発刊する。これまで刊行されたあらゆる全集叢書文庫類の長所と短所とを検討し、古今東西の不朽の典籍を、良心的編集のもとに、廉価に、そして書架にふさわしい美本として、多くのひとびとに提供しようとする。しかし私たちは徒らに百科全書的な知識のジレッタントを作ることを目的とせず、あくまで祖国の文化に秩序と再建への道を示し、この文庫を角川書店の栄ある事業として、今後永久に継続発展せしめ、学芸と教養との殿堂として大成せんことを期したい。多くの読書子の愛情ある忠言と支持とによって、この希望と抱負とを完遂せしめられんことを願う。

一九四九年五月三日